岩 波 文 庫

38-610-1

ロシアの革命思想

――その歴史的展開――

ゲルツェン著
長縄光男訳

岩 波 書 店

Aleksandr Herzen

DU DÉVELOPPEMENT DES IDÉES RÉVOLUTIONNAIRES EN RUSSIE

1851-1852

凡　例

一、本書の翻訳には、以下を底本とした。
ソ連科学アカデミー編集『ゲルツェン三十巻著作集』第七巻所収のフランス語原文《Du développement des idées révolutionnaires en Russie》(7–132 стр.)

二、翻訳に当たり、以下を参照した。

・同巻所収のロシア語訳《О развитии революционных идей в России》(133–263 стр.)

・「レムケ版」のロシア語訳(А. И. Герцен Полное собрание сочинений и писем под ред. М. К. Лемке том 6, Петербург, 1919 г. 298–410 стр.)。なお、この本は故安井亮平先生の蔵書の中から、ご令室のご好意を得て拝借した。深謝申し上げる。

・金子幸彦訳『ロシヤにおける革命思想の発達について』(岩波文庫改訳版十三刷、一九九〇年)

三、文中に現れる著作の名前は『　』により、新聞や雑誌の名称は《　》、論文名と詩歌の表題は「　」によって示した。

四、本文・注とも原著者によるものは（　）により、訳者によるものは〔　〕によって示した。
五、原注は＊で示し、段落末に置いた。訳注には注番号を付して、各章末に置いた。
六、巻末に人物紹介を兼ねた人名索引、事項索引、関連略年表を置いた。
七、地名表記については、時代性を勘案して原著のままとした。

目次

ロシアの革命思想——その歴史的展開

我らが友
ミハイル・バクーニンに(1)

「ポーランド民主委員会の私の友人たちは私の著作『ロシアの革命思想――その歴史的展開』の再刊を強く勧めてくれている。

私はこの事実には極めて大きな意義があると考える。というのも、この本の公刊は革命ポーランドとロシアの革命家たちとの友好的同盟の公然たる証しとなるであろうからだ。(2)」

(1) 初出一八五三年版。当時バクーニンはロシア政府に捕らわれ、生還する望みはないと思われていた。

(2)「 」内の文章はレムケ版の全集のこの著作のフランス語原文とロシア語訳の冒頭に置かれているが、アカデミー版のフランス語原文とロシア語訳にはこの文章はない。

序　章

詮無き思い出も
無用の争いごとも
若き日の汝の心を
かき乱すことはない

ゲーテ〔「合衆国に」より〕

……雪に覆われたひどく凍てつく冬のさなか、訪れる者も少なく、ただプスコフ県とリヴォニア〔ドイツ名リフランディア〕を結ぶ以外、めったに使われたことのない狭い田舎道を辿って、私はロシアを後にした(1)。互いの結びつきも弱く、外からのいかなる影響も受けることのない隣り合ったこれら二つの地方は、こんなところはどこにも見出せないと誇張なしに言えるくらいに、明瞭なコントラストをなしている。

それは墓地の隣に開かれた処女地であり、明日という日と隣り合わせた前夜であり、産みの苦しみであり死の苦悶である。こちらでは、あらゆるものが石灰の臭いを発し、人の住むための場所もみな未完成で、何一つとして整えられておらず、至るところに建設用の資材とむき出しの壁があるばかりだが、あちらでは、あらゆるものにカビが生え、あらゆるものが壊れかけ、人の気配はどこにもなく、至るところに亀裂と破片と残骸があるばかりだ。

雪に覆われた樅《もみ》ノ木の森を抜けると、突然、広い平原の眩《まばゆ》いばかりの白を背にして、ロシアの小さな村々が一際くっきりと姿を現した。これらの貧しい共同体の姿には、私の心を深く揺さぶる何かが秘められている。小さな家々は離れ離れでいるよりは、一緒に燃えてしまった方がましだとでもいうように、互いに身を寄せ合って建っている。家々の向こうには塀も柵もない原野が、遥か彼方、どこまでも続いている。小屋は人のため、家族のためのものだが、大地は万人のため、共同体のためのものなのだ。

これらの家々に住む農民は、チンギス・ハンの遊牧の大軍に襲われた時のままである。ここ数世紀の出来事は、彼らの関心を呼び覚ますことすらないままに、その頭の上を通り過ぎて行った。これは地質学と歴史の中間的存在である。その形成過程には独特の性格、生活様式、生理学はあるが、伝記はない。二、三世代が過ぎるごとに、農民は森の樅ノ木で掘っ立て小屋を作るのだが、それも少しずつ壊れ、農民自身と同じように、跡形もなく消えて行く。

しかしながら、農民と少しでも言葉を交わしてみれば、これが晩年なのか幼年なのか、死後に続く野蛮なのか、生に先立つ未開なのかが、すぐに分かるだろう。だが、何よりもまず彼とは彼の言葉で話し、そして、自分が彼の敵ではないことを示して安心させることが必要だ。私は文明化された人間に対するロシア農民の臆病さを非難することからは、極めて遠いところにいる。彼が知っている文明化された人間とは、地主、あるいは、役人なのだ。そして、農民は彼らに対して不信感を抱き、陰気な目つきで彼らを眺め、低くお辞儀をすると、一歩でも遠くへと離れて行く。だが、農民は彼らを尊敬してはいない。農民が恐れているのは、彼らに高等な人間を見ているからではない。農民が恐れているのは、打ち勝ちがたい力に対してだ。彼は打ち負かされてはいるが、下僕では断じてない。彼のぞんざいではあるが民主的にして家父長的な言葉は、控えの間の教育を受けたことはない。彼の雄々しい美しさは、ツァーリと地主に対する二重の隷属の下にあってもなお、損なわれることなく保たれてきた。大ロシアや小ロシア〔現ウクライナ〕の農民には極めて明敏な知性と、北国にしては驚くべき、ほとんど南国的とも言うべき快活さがある。彼は立派に、そして沢山を喋る。常に隣人の間で生活するという習慣は、彼を社交的にしたのである。

……ロシアの最後の駅の一つに着くと、私たちは温室のように熱い小さな部屋で駅逓《えきてい》の馬を待った。駅長の女房は着ているものも髪もだらしのない騒々しい女で、私たちにしつこくお茶を勧めるのであった。革張りのソファーの上の壁を飾る版画にはとても興味を引かれはしたが、それも見飽きたところだったので、私は家の前の騒ぎを聞きつけ、嬉しい気分になった。

だが、版画から離れる前に、私は、やはり、その主題について語らないではいられない。それはとても特徴的なのである。どうやら、これはピョートルの時代以後のものらしいが、そこで描かれているのはピョートル一世で、彼は料理と酒瓶の置いてあるテーブルに向かっている。メーンシコフ公が彼に深々とお辞儀をして若い女性を示し、薦めている。それは誰あろう、未来のエカテリーナ一世その人なのだ。題名に曰く「忠臣、己が有するあらゆるものの内、最も貴重なるものを最愛の君主に奉る」。

この版画を買い取って来なかったことを、私はいまだに後悔している……。

騒ぎの原因を知ろうと表に出てみると、ひと塊の駅者たちを前にして、士官が一人、あらん限りの大声で口を極めて罵り、騒ぎ立てているのであった。駅者《ぎょしゃ》たちはロシアの農民のよくやる、嘲るような、しれっとした態度で彼を眺めていた。士官の後ろにはすっかり出来上がった駅長が立っていた。彼もまた怒鳴っているのだが、怒鳴りながらも農民たちに向かって意味ありげにウインクしていた。

——村長はどこだ、どこにいるんだ、村長は、——士官はいきり立ってがなり立てる。

——村長はどこだ……——農民の中には間延びした、気のない調子で繰り返す者もいる。いかなる聖人をも怒らせないではおかないような、あの調子である。——ところが、村長はいない。三人の百姓が彼を探しまわる——酒場にもいない、女のところにもいない、——村長はどこへ隠れたものやら、全く驚いたことだ。

だが、疑いもなく、村長は農民の群れの中にちゃんといたのである。

——盗人どもめが！——駅長が喚《わめ》く。——この盗人どもめが、村長を探そうともしやがらねぇ！

——で、お前はどうなんだ——士官が彼に食ってかかる。——こんなことで駅長が勤まるのか。誰もお前のいうことを聞かんじゃないか。大したお代官様だ。報告してやるぞ。アドレルベルク伯爵様(時の郵政大臣)に直々に手紙を書いてやる。あのお方とは知り合いなんだからな。

——一家の父親を憐れんで下され。二十三年もお勤めしております、ヴァルナ占領〔一八二八年、対トルコ戦争時のこと〕の功でメダルを頂戴し、二度も負傷しました。貫通した弾の傷だってあります。二十年も模範的に勤めたご褒美に勲章も頂戴しております

——駅長は何度となく機械的に繰り返すのだが、そのくせ、特に驚いた風はない。

それでも物事は一向に進まない。今度は、士官は十六、七の若者に絡み始める。——なんだ貴様は——彼は叫ぶ。——その目はなんだ、笑っているな、え、貴様、笑っているな。貴様には肩章の敬い方を教えてやる！——そして彼は若者に殴りかかる。こっちは士官の拳骨をかわすと、さっさと逃げ出す。士官は追いかけようとするのだが、雪が深くて膝まで埋まってしまう。農民たちは声を上げて笑い始める。——暴動だ！　これは暴動だ！——士官は叫ぶと、リスのように木のてっぺんによじ登っていた若者に向かって、降りて来いと命令口調で言う。——嫌だ、降りねえよ——とこちらは答える——おいらをぶつでねえか……。

——降りて来い、この悪ガキめが、降りて来いと言ってるんだ！——駅長も彼に向って大声を出す。若者は首を横に振る。

——お前様、——駅長は士官に向かって続ける。——御覧の通り、私どもはこういう連中と朝から晩まで付き合っているんでございますよ、全く、トルコっぽ以下でさあ。主は一体いつになったら私めをこんな地獄からお救い下さることやら。私めがここにこうしておるのも、ひとえに、年金を頂戴するには三年足りないからでして。でも、お前様、ご安心下され、こんな盗人どもはすぐに片づけてお目に掛けます。連中にはお前様をただで送らせます。今、手前が警察署長を呼びにやります。あのお方はこの近くに住んでおるのです。ここからは八里〔三十三露里〕かそこらかな。ま、お前様、それまでお茶でも一杯、やっていて下さいまし。

——あんた、正気なのか——士官は悲痛な調子で叫ぶ——警察署長を待っている時間などありゃせんのだ。馬を出せ、馬を……。

私の乗る馬車の用意は出来ていたので、私はこの話の結末を知らないが、士官が騙されたことは疑いないだろう。私の馭者は道々、ずっとニヤニヤしていた。士官の話の顚末が彼の頭から離れなかったのだ。

——あの士官はすっかり頭に来ていたね——と私は言った。

——別に、どうってぇこたぁねぇですよ。毎度のことでさぁ。あの士官だって、すぐに疲れちまうってぇことなんざ、はじめからお見通しでさぁ。

……別の世界に足を踏み入れるには二時間も行けば十分だ。まるで劇場の舞台装置が目の前で変わるようなものだ。土地は起伏に富み、むしろ山がちになり、道も曲がりくねっている。それはもはやミツケーヴィチが見事に描いた、雪の大海原に真っすぐに引かれた、果てしない一本の線ではない。

リヴォニアの最初の駅逓所は山の上にあった。私は《Passagierstube（待合室）》に入った。この部屋を支配していたのは清潔さであり、秩序であり、まるで、ほんの前の晩に色を塗ったばかりか、あるいは、明日来る客人たちを待っているといった風情である。床には砂がまかれ、窓辺にはゼラニウムとローズマリー、部屋の隅には四オクターブ半のピアノ、卓は白いテーブルクロスに覆われ、ルター派の聖書が一冊置いてある。何枚かの石版画の間には、一枚の小さな印刷物が小綺麗な枠に入れて掛けられていた。これには《An meinen lieben Fritz（我が愛するフリッツに）》とあったが、フリードリッヒ・ヴィルヘルム三世がその息子に宛てて書いた牧歌的な遺言状を模したもののようである。

駅長というのはドイツ人だけに見られる、善良でいかにも信心深そうな顔をした温和な老人で、私のために螺鈿《らでん》のボタンで飾った灰色のフロックコートを着ていた。私が遺言状を読んでいるのを見ると近寄ってきて、私のことを「男爵様」とか《Freiherr〔男爵〕》とか《Hochwohlgeboren〔閣下〕》といった尊称を付けて呼び、丁重に話しかけてくるのであった。彼の言うには、「今は亡き善き国王陛下の感動的な御言葉は涙無くしては読めません」とのことだった。

駅長は、風の具合からして、夜は吹雪になるだろうと読み、朝まで待った方がよいと助言してくれた。私は外の様子を見に表へ出た。冷たい強風が葉を落とした枝を激しく揺らしながら村を吹き抜けていた。風に追われる雲の合間からは、時折、蒼白い鎌のような月が姿を見せた。そんな折には、半ば朽ちかけた塔や、廃墟の中に取り残された城の残骸が全て見えた。かつては城内に通じていた壊れた門の下には、小柄で弱々しくみすぼらしい、亜麻のように白い髪をしたフィンランド人が十人ほどたむろしていた。全く聞きなれない彼らの言葉の響きは、私の耳には心地よくは響かなかった。門の上には鷲の剝製が打ち付けてあった。突然、私の目の前を一瞬にしてかすめるように飛び過ぎるものがあった。それは背の高い金髪の青年で、縮れた口ひげを生やし、肩には銃を担いでいた。彼は小さな橇《そり》に乗り、それを自分で操っていた。馬の装具はロシア風の軛《くびき》で飾られてはいなかったが、その代わり、二十ほどの小さな鈴が鳴っていた。橇の後からは、凍った地面を嗅ぎながら、ボルゾイ犬が一頭、駆けて行った。

リヴォニアとクールランドにはロシアに似通った村はない。そこにあるのは城の周りに散らばった農地で、百姓家は離れ離れに建っている。ロシア的な共同体はここにはないのだ。ここに住んでいるのは貧しいが善良な、しかし、これと言った取り柄のない人びとで、百年にも及ぶ隷属状態に押しひしがれ、未来を持たないことは明らかだ。それは異人種の波に飲み込まれ、化石化した住民の残骸であった。ドイツ人とフィンランド人の間には大きな隔たりがある。ゲルマン文明は極めて閉鎖的だと言わねばならない。

数世紀にわたりドイツ人と緊密に隣り合わせで暮らし、絶えず行き来している内に、この地のフィンランド人は半ば野蛮なままに取り残されてしまったのだ。彼らの教育について最初に心を配ったのは皇帝ニコライ〔一世〕であった。もちろん、彼流にではあるが――彼は彼らを東方正教会に改宗させたのである。

だが、リガは別で、ここの狭くて暗い通り、ハンザ同盟とルター派の精神の沁《し》み込《こ》んだ特権と同業組合とギルド(Zünfte)のこの町では、商業そのものの中に時代遅れと停滞とが感じられる。この町に住むロシア人はツァーリ、アレクセイの体制を革命的過ぎると見なし、総主教ニーコンのことは余りにも大胆な改革者と考えたゆえに、二世紀も前に祖国を捨てた時代遅れな分離派教徒[2]に属している。ここへ来て初めて、私は自分がたった今あとにして来た世界と、足を踏み入れた世界との違いを理解したのであった。

黒いビロードの丸帽をかぶり、バルトの冬の最も寒い時期だというのに短めのズボンに木綿の靴下、それに短靴を履いただけの痩せて足の細いユダヤ人たち。元老院の議員様と言った風情のドイツ人貿易商。こんな連中をみると、彼らと出くわさないように別の道を行きたくなる……。カジノやクラブでの話題といえば、一六〇〇年に市に認可された専売権や、一四五〇年に与えられた自主権や、一七〇一年の最後の改革といったことばかり……。

バルトのドイツ人たちは古代文明の末裔で、何世紀も前から大きな歴史の動きに取り残されたままだ。この時代から彼らは変わることのない気質を得た。彼らは昔のままに止まり、爾来《じらい》、何物によっても豊かになることはなかった。彼らは自分たちの考えることや行うことに秩序や規則や尺度を作り上げ、決してこれらを踏み外すことはなかった。まさにそれ故に、彼らはロシアの法のみならず、ロシアの風俗に支配的ないい加減さや誇張や無秩序といったことを憎むことになるのである。

われわれ〔ロシア人〕は未だかつて一定の安定に達したことはない。われわれはそれを求めているし、その本性により見合った社会制度を目指してはいる。しかし、われわれは気ままな仮住まいに、これを嫌いながらもこれと折り合い、これから逃れようとしながら心ならずも耐え忍ぶことによって、一時しのぎ的に甘んじている。だが、彼らは逆に、真の保守主義者だ。彼らは多くのものを失ったので、残ったものを失うことを恐れている。われわれはただ得ることが出来るばかりで、失うものは何もない。われわれは強いられて服従してはいるが、自分たちを支配している法律の中に見ているのは禁止と束縛だから、これを破れる時、あるいは敢えて破ろうとする時には、これを躊躇なく破る。だが、彼らは法律の一部を大真面目に受け入れているので、彼らの目から見れば、これを侵すなど犯罪なのだ。法律のこの部分が、誰の目にも愚かしいことがはっきりしている別の法律にとって、支柱の役割を果たしているのである。

彼らにあるのは不動の道徳的観念であり、われわれにあるのは道徳的本能である。

彼らがわれわれよりも優れた点は、彼らが作り上げてきた実定法にある。これらは偉大なヨーロッパ文明に属する。われわれが彼らより優れた点は逞《たくま》しい力、ある種の希望の広さにある。こちらでは自らの良心に従い自分たちを抑圧するところを、ロシアでそれをするのは憲兵だ。算術に弱いわれわれは譲歩するのに対して、彼らの弱みは代数学的である。その弱みは公式そのものの中にある。

われわれの礼儀作法を弁《わきま》えない勝手気ままな立ち居振る舞い、半ば野蛮で半ば堕落した激情は、彼らを深く侮辱する。だが、われわれからすれば、彼らのブルジョア的ペダンチズムや、わざとらしい潔癖主義や、立ち居振る舞いの申し分のない俗っぽさは、死ぬほどに退屈なのである。

最後に、彼らにあっては、収入の半分以上を使ってしまうような人間は放蕩息子とも浪費家とも見なされているのに対して、われわれにあっては、自分の収入だけで生活しているような人間は、とてつもない吝嗇漢《りんしょくかん》と見なされる……。

ロシアとバルト諸県の間に見られる、ほとんど大袈裟と見えるほどに截然たるこのアンチテーゼは、実を言うと、私自身がすでに指摘したように、スラヴ世界全体とヨーロッパとの間に存在するものなのである。

もっとも、ここには違いもある。すなわち、スラヴ世界の場合、西欧文明の特質がその皮相にあるだけなのに、ヨーロッパ世界の場合、その根底にあるのは、純粋この上ない蛮族の特質である。然るに、〔本来スラヴ世界に属する〕プスコフの農民の間には文明の痕跡はいささかもないのに、〔本来ヨーロッパ世界に属する〕バルトのドイツ人が自らの裡に隠しているのは、蛮族的な均質の住民ではなく、衰退しつつある完全に多様な質の住民なのである。

ゲルマン・ラテン系の諸民族は時間の中に二つの歴史を作り、空間の中に二つの世界を創り出したが〔一つは古代ローマ世界、もう一つは中世から現代に至るキリスト教世界〕、それらは二度までもその生を終えた。これらの中に第三の変容のための精気と力とが十分に残っているということは大いにありうる。だが、この変容が現存の社会形態の枠内で起こるということはあり得ない。というのは、それは革命思想と明確に対立しているからだ。既にみたように、ヨーロッパ文明の大いなる諸理念が実現されるためには、それらは大洋を渡り、廃墟によって塞がれている所のより少ないような土地を見つけなくてはならないのだ。

逆に、スラヴ系諸民族の全ての過去は始まりと習得、成長と素質といった性格を帯びている。彼らは歴史の奔流に加わったばかりだ。彼らは自らの本性、自分たちの天分、自分たちの希求に見合った発展を、未だかつて持ったことはなかった。それが一体どんな希求かということは後に見ることにして、今はただ、次のように言うにとどめよう。すなわち、それらは理論として述べられているわけではなく、人びとの生活や歌や伝承の中に生きているものだということであり、また、それらはスラヴ系諸種族の habitus〔習性〕の中にそもそもの初めから存在していたということである。それは理性的で明確な概念というよりは、むしろ本能であり、自然の、絶えざる、強い、しかし混沌とした誘因であって、これに長年にわたる民族的・宗教的な労苦が混入しているのである。

スラヴ人の歴史は貧弱である。

ポーランドを除けば、スラヴ人は歴史というよりは、むしろ地理学の対象である。スラヴの民の中には、ただフス戦争〔チェコ、一四一九—三六〕という戦さを続けることだけに真の生き甲斐を見出してきたものもある。

そうかと思うと、また、国境を画定することばかりに関心を持ち、道標を打ち込み、自分の居場所を確保し、一時的とはいえ地球の六分の一を力任せに併合し、傲慢にもそれを己の版図と称してきたような民もいる〔ポーランドとリトアニアのこと〕……。

……過去においてはほとんど目立たず、現在においても知られることの少ないこれらの民に、果たして、未来へ何らかの権利があるだろうか。

何も為さず、ただ多く苦しんできただけの民にも等しく未来があろうとは、われわれは決して思わない。

だが、疑いもなく、未来を持ちうるのは、称号をひけらかしたり、押しかけたりすることによってではなく、活動的な諸民族の大きな集まりの中に大胆に居場所を求めようとする者、歴史の扉をこじ開けようとする者、活動への渇望に駆られ、あらゆる事柄に関与しようとする者、万人の想いを理解し、歴史の大動脈の奔流の中へと向こう見ずにも突き進んで行くような者、こうした者だけなのである。

幾つかの民族が突然登場することには、思想家をして立ち止まらせる何かがある。彼は当惑し、ある種の不安を体験する。彼は新しい鉱脈や新しい力、地殻を破り表面に出ようとする、耳には聞こえない震動を感じ取り、巨人が一歩、また一歩と近づいてくる足音を、未知の遠方に聞くような気がするのである。

ピョートル一世の時代以来のロシアの役割とは、このようなものである。

フランスが皇帝の称号を巡ってロシアのツァーリと争ってから、まだ百年と経っていないが(3)、今や、問題は称号にあるのではなく、ラインまで拡張し、ボスフォラスにまで至り、他方で、太平洋にまで到達しているロシアの支配領域という事実にあるのである。*

＊　ゲルマニアは名称として存在しているに過ぎない。これは取るに足りない模糊たる権利、例えば、ニコライの臣民であるだけでなく、同時に自分たちの小公たちの臣民でもある権利を持ち続けて来た、バルト沿岸地方の諸県の事である。この程、新聞は「ヴュルテンベルクのオリガ大公妃がその夫で皇太子でもある大公共々」来訪することを報じたが、こんな反サリカ法典〔女性の財産相続権を否定した法典〕的な文言を見て驚く者などいなかった。

これらの不遜な主張と取るに足りない譲歩が意味するのは何であろうか。

あるいは、ローマに決着を付けようとこの地を目指しながら、ここで自ら屍《しかばね》を埋めることになった匈奴《きょうど》か、あるいは、西方のキリスト教は墓場に入るほどに成熟したかどうか、今一度試してみようとしているオスマンか。

最後に、あるいは、大惨事、大変動、蝗《いなご》の大群、世界を二つに分ける劇の幕間に起こる悲惨な出来事――これが大団円へと駆り立てる薄気味悪い亡霊の一つなのだろうか。これもまた物事の新しい秩序の始まりでありうるかもしれない。過去へと遠ざかりつつある世界との関係において、スラヴ人は古代ゲルマン人と似ているのかもしれない。

このような問いは立てるだけで十分だ。このことについては何を言っても、すべて、大きな関心を提起することになるだろう。勇を鼓してさらに先に進み――スラヴ系諸民族の定かならざる希求の幾つかが、ヨーロッパの人民大衆の革命的志向と一致し、遥か彼方から聞こえてくるこのコーラスの中に、古い世界の奥深いところに隠れていた響きと呼びかわす協和音が聞こえる、などと言いきるところまで行ったとしたら。あるいは、北方の蛮族と「国内の」蛮族とが、古い封建的君主制的制度という共通の敵と、社会革命という共通の希望を持っていることが証明されると主張したとしたら、果たしてどうなるか。

皇帝ニコライは、「至高の運命」の真の意味を理解しないながらも、かかる運命の執行者〔exécuteur des hautes oeuvres.「死刑執行人」という意味もある〕として、フランスの無益な傲慢とイギリスの威厳に満ちた賢慮とを思うさまに睥睨《へいげい》することが出来るし、トルコ王朝にルーシ〔ロシアの古名〕という呼称を、ゲルマニアにモスコーヴィヤという呼称を宣《のたま》うこともできる(われわれとしては、これら老兵たちのいずれにも何の憐れみも持たないが)。しかし、その彼にしても出来ないことがある。彼には己の背後に別の同盟が生まれることを妨げることは出来ないし、ロシアの介入が大陸のあらゆる君主、あらゆる反動への致命的打撃とも、恐ろしい決定的な武力的社会革命の始まりともなることを、妨げることも出来ないのである。

ツァーリ権力がこの戦いを生き延びることはないだろう。それは勝者としても、敗者としても、過去のものとなるだろう。それはルーシ的ではなく、骨がらみドイツ的、ビザンツ化されたドイツ的なものである。つまるところ、これには死するための二つの資格がある、ということだ。

だが、われわれには生きるための二つの資格がある。社会主義的要素と若さである。——若い人たちだって時には死ぬことがありますよ——ロンドンである極めて尊敬すべき人とスラヴ問題について話をしていた時に、彼は私に言った。——確かに——私は彼に答えて言ったものだ——しかし、老人は常に死ぬということは、もっと確かです。

ロンドン　一八五三年八月一日

訳注

（1）ゲルツェンとその家族は一八四七年一月末ロシアを後にした。

（2）一七世紀半ば(ツァーリ、アレクセイの時代)総主教ニーコンの改革に抗して、公認の教会を離れて行った人びと。「旧教徒」「古儀式派」などとも呼ばれる。

（3）一七六六年、フランスはエカテリーナ二世に「皇帝」と称することをやめるように要求した。

第一章　ロシアとヨーロッパ

二年前に私は《Vom andern Ufer（向こう岸から）》と題する冊子〔一八四九年、ハンブルク、「ホフマン・カンペ社」〕の中で、ロシアについての書簡を公刊した。われわれの見解はそれ以後も変わっていないので、この書簡の中から次の個所を引用することは不可欠だと考える。

「われわれの時代は何と重苦しいことか。あたりのものはすべて崩壊しつつある。全てのものが、眩暈《めまい》と悪性の悪寒を感じながら、揺れ動いている。最も暗い予感が恐るべき速さで実現されつつある……。

力に屈することを潔しとしない自由な人間には、やがてヨーロッパ全土のどこを探しても、アメリカに向かう船の甲板以外に隠れ家を見つけることができなくなるだろう。

もはやわれわれには、カトー〔前九五―前四六〕のように、我がローマは滅びようとしている、さりとて、われわれにはローマの他に何も見ないし、見ようとも思わない、と言って自らに刃を突き立てるほかないのか……。

しかしながら、おのが時代の苦悩を深く感じ取ったローマの思想家がどうしたか、われわれは知っている。悲哀と絶望に押しひしがれながらも、彼は自分が属している世界には滅びることこそがふさわしいと理解し、民族を越えたその先に目を投げかけ、著書『De moribus germanorum〔ゲルマニアの習俗について〕』を書いたのだった。彼は正しかった。というのは、未来はこの蛮族のものだったのだから。

われわれは何かを予言しようとしているわけではない。しかし、われわれは、同様に、人類の運命が西欧に固着されているわけではないとは思う。ヨーロッパが社会的変革の道によって立ち直ることができないなら、別の国々が変革されることになるだろう。それらの国々の中には早くもこの運動への準備が出来ている国があり、また、待機している国もある。そうした国の一つに北アメリカ合衆国がある。もう一つの、同じように力に溢れてはいるが同時に粗野でもある国〔ロシア〕のことは、ほとんど、あるいは、あまり知られていない。

ヨーロッパはありとあらゆるところで、議会でもクラブでも、街頭でも新聞でも、「ロシア人が来る、ロシア人が来る」というベルリンの《Krakehler》誌の絶叫を、色々な調子で繰り返している。そして、実際、彼らはやって来るどころか、ハプスブルク家のおかげで現にやって来たのであり、おそらく、彼らはホーエンツォレルン家のおかげで、間もなくさらに先へと進んで来ることだろう。だが、これらのロシア人、これらの蛮族、これらのコサックが何者であるか、誰も正確には知らない。この人びとのことをヨーロッパはただ、彼らが勝利者として登場した戦争〔ナポレオン戦争のこと〕によって知るばかりである。カエサルはガリア人を、現代のヨーロッパがロシアを知る以上に知っていた。ヨーロッパに自信があった内は、未来がその発展の続編としてのみ想定されていた内は、ヨーロッパは他の諸国民のことを気に掛けないでもいられた。しかし、今や、物事の秩序は一変した。この傲慢な無知は、もはやヨーロッパには似つかわしくない。

ヨーロッパがロシア人を彼らは奴隷だと言って非難する時にはいつでも、ロシア人はこう問う権利を有しているだろう。「で、あなた方は果たして自由なのですか」と。

確かに、ロシアは十八世紀には十九世紀より遥かに深く、そして、遥かに真面目に注目されていた。それはその当時ロシア人がそれほど恐れられていなかったからだろう。ミュラーやシュレーツァー、エーヴェルスやレヴェクーと言った人びと〔いずれも十八世紀のドイツの歴史家〕は、パラスやグメーリン〔いずれも十八世紀のドイツの博物学者〕が自然界の領域でロシアに適用したのと同じ科学的手法を適用することによって、人生の一部をロシア史の研究に捧げた。哲学者や評論家たちも彼らなりの側面から、専制的であると同時に革命的でもある政府の稀なる事例を、津々たる興味を抱いて観察した。彼らが見たのは、ピョートル一世によって確立された王政が、ヨーロッパの封建的で伝統的な王政とはあまり似ていないということであった。

二度にわたるポーランドの分割はロシアを汚した最初の恥辱であった。ヨーロッパはこの事件のもつ重要性を十分に理解してはいなかった。というのは、その頃ヨーロッパには心配事が別にあったからだ。ヨーロッパはフランス革命〔一七八九年〕が早くも明るみに出した大きな出来事に際会し、息も絶え絶えだったのである。当然のことながら、ロシアの女帝〔エカテリーナ二世〕はポーランドの血で汚れた手を反動に差し伸べた。彼女は反動にプラガ〔ワルシャワ郊外〕の残虐な屠殺人、スヴォーロフの剣を提供した。[1] パーヴェルのスイスとイタリアへの遠征は何の意味も持たず、ただ反ロシアの世論を喚起しただけであった。

フランス人が未だに栄光の時代と呼んでいる幾つもの愚かな戦争の狂気じみた時期は、ロシアへの侵入によって終わった。それはエジプト遠征と同様、天才の錯誤であった。ボナパルトは死体の山の上に立って、全世界に向かっておのれを誇示しようと思い立った。ピラミッドを自慢するだけでは足りずに、モスクワとクレムリンをも自慢の種に加えようと望んだのである。だが、この時ばかりは敗北に終わった。彼は一国民の全体を敵に回してしまったのである。彼らは断固として武器を取り、彼を追ってヨーロッパを横断してパリを占領したのであった。

世界のこの部分は数か月の間、ロシア皇帝アレクサンドルの手中にあった。しかし、彼は自分の勝利も自分の置かれた立場も利用することが出来なかった。彼はロシアをオーストリアと同じ旗印の下に立たせてしまったのである。あたかも、この腐り切った瀕死の帝国と、その偉大さを余すところなく表したばかりの若い国家との間に、何か共通するものがあるかのように、そして、あたかも、スラヴ世界の最も活動的な代表者が、スラヴ人に対する狂暴この上ない抑圧者と同じ利害を持っているかのように。

ヨーロッパの反動とのこの奇怪な同盟により、折角おのが勝利によってつい今しがたまで称賛を得ていたロシアは、心ある人びとによる評価を下げてしまった。彼らは、初めて自分の持てる力を誇示したこの国が、あらゆる復古的で保守的なものに、しかも、自分自身の利害をも顧みずに、すぐさま援助の手を差し伸べたのを見て、悲し気に頭を振ったものだ。

全ての国の人びとがロシアに対して断固として立ち上がるためには、ポーランドの苛酷な戦いだけが足りなかった。ポーランドの革命の高潔な、しかし不幸な残党が、ヨーロッパ全土をさまよいながら、恐ろしい残忍な勝利者たちに関する情報を広めていた時、ロシアを呪う大きな声があらゆる所から、あらゆる言語で鳴り響いた。諸国民の怒りは正当であった……。

自分たちの弱さと無力に顔を赤らめつつ、われわれはわが国の政府がたった今われわれの手によって為したことを理解し、われわれの心は血の出るような苦痛に萎え、目からは苦い涙が流れ出た。

ポーランド人と顔を合わせる時など、いつでも、われわれは目を挙げる勇気を持たなかった。それでも、その政府が為したことで国民全体を非難することが正しいことなのか、彼らだけに責任を負わせることが正しいのか、私には分からない。

果たして、オーストリアもプロシアもポーランドを援助しなかったではないか。フランスの背信的友情はポーランドにはかえって仇となり、他の国民の公然たる憎しみの原因となったのではなかったか。そのフランスは、他方で、あらゆる手立てを尽くしてペテルブルクの宮廷の愛顧を得んものと、汲々としていたのではなかったか(2)。果たしてドイツは当時早くもロシアに対して、今日モルダヴィアやヴァラキアが強いられて身を置かざるを得なくなっているのと同じ立場に、自発的に立ったのではなかったか。ドイツは当時からすでにロシアの代理大使や、プロシア王という称号を持つツァーリの総督によって支配されてきたのではなかったか。

ただ一人、イギリスだけが友好的独立という精神においてお上品に身を処しているが、そのイギリスにしても、ポーランド人のために何もしてこなかった。あるいは、イギリスはアイルランドに対する自分の罪のことを思っていたのかもしれない。確かに、ロシア政府はどんな憎悪や非難にも値する。だが、こんな憎悪なら他の全ての政府にも投げかけたいと、私は思う。というのも、どちらの政府も甲乙つけがたいからだ。これは同じテーマのヴァリアントに過ぎないのだ。

最近の諸事件はわれわれに多くのことを教えてくれた。パリに秩序が支配し、ローマが占領されて以来、プロシア王が銃殺刑を自ら指揮し、古いオーストリアが膝まで血につかりながら、おのが麻痺した肢体をこの血で若返らせようとして以来、〔ロシアによって〕ポーランドに復活した秩序、ワルシャワの占領はすっかり後景に退いてしまった。

一八四九年という年の何と恥ずかしいことか——期待されていた全てのものを失い、銃殺され、縊《くび》られた者たちの屍の傍らで、鎖につながれ、裁判抜きで流刑に処せられた者たちの傍らで、国から国へと追われる不幸な人びとが、辛うじて生きて行けるだけの一かけらのパンを、犬にでもくれてやるように投げ与えられた中世のユダヤ人さながらに遇されているのを見る一八四九年というこんな年に、北緯五九度の地にのみツァーリズムを見ようとするなど、何と恥ずかしいことだろう。ペテルブルクの専制を、そして、唯々諾々とそれに従うわれわれの情けない有様を思うままに罵り、非難の声を浴びせるのも結構だ。しかし、至るところにあるデスポチズム〔専制政治〕をも罵り、それがいかなる形態を取って現れていようとも、それが同じデスポチズムだということを知るべきではないか。奴隷制を自由と見せかける光学上の錯覚は消えたのだ。

もう一度言おう——ロシアに住むことが忌まわしいとしても、ヨーロッパに住むこともまた忌まわしいのだ。私はなぜロシアを捨てたのか——この問いに答えるために、友人たちに宛てた別れの手紙の一節を訳しておこう。

どうか誤解しないで欲しい。私がここで見出したのは、喜びでも気晴らしでもない、休息でもない、ましてやわが身の安全ですらない。今のヨーロッパに喜びや休息を見出すことのできる者などいるだろうか。

私はこの地で運動以外の何ものも信じない。この地で私が惜しむものは犠牲以外にない。私が愛するのはただ迫害されている者だけだ。私が敬うのは処刑される者だけだ。それでも私はここに残る。私は二重に苦しむために——われわれの悲しみと、ここで見出す哀しみとに苦しむために、そして、おそらく、遍《あまね》き崩壊の中で斃《たお》れるために、ここに残る。私がここに残るのは、ここでは闘いが公然と行われているからだ、ここでは声を上げることができるからだ。

ここで打ち負かされたものは哀しい。だが、その彼とて言葉を発する前に、闘いの中で自分の力を試す前に斃れるわけではない。まさにこの声の故に、この公然たる闘いの故に、この言論の自由の故に、私はここに残るのだ。〔『向こう岸から』の公刊(一八五五年)前の草稿からの引用。現在の版との間には若干の差異がある。邦訳一八—一九ページを参照〕

私がこれを書いたのは一八四九年三月一日のことだった。この時から物事は大きく変わった。人に話を聞いてもらう特権、公然と闘う特権は日ごとに小さくなりつつある。ヨーロッパは日を追ってペテルブルクに似て来つつある。ロシア以上にペテルブルクに似た国すらある。

もしヨーロッパでもわれわれの口がふさがれ、われわれを抑圧する者たちを公然と呪うことが許されなくなるならば、われわれは人間の尊厳と言論の自由のためにあらゆることを犠牲にして、アメリカに去るだろう。」(「ロシア——ヘルヴェークへの手紙」より)

訳　注

(1) 一七九四年、ポーランド蜂起はスヴォーロフによって鎮圧された。

(2) 一八三〇―三一年のポーランド蜂起の折にオーストリアとプロシアは不干渉の立場を取り、フランスは当初こそ蜂起側を経済的に支援する姿勢を示していたが、実際行動をとることはなく、三一年一月には、イギリスと同様、ロシアとポーランドの仲介に立つことを拒否した。

第二章　ピョートル一世以前のロシア

ロシアの歴史はスラヴ国家の胎生学に他ならない。ロシアは単に何とかまとまっていただけであった。九世紀来のこの国の過去はすべて、目の前にほのかに見え始める定かならざる未来への歩みと見る必要がある。

ロシアの真の歴史は一八一二年になってやっと始まる。それ以前のことはみなその序文に過ぎない。

ロシア民族の本質的な諸力は、ゲルマン・ロマン系諸民族の場合と異なり、その独自の発展のために有効に使われたことは一度としてない。

九世紀のロシアは西欧の諸国家とは全く異なる構造の国家という様相を呈している。人口の大部分が単一の種族に属しており、それが人口の希薄な極めて広大な領土に散在する。どこにでもある征服種族と非征服種族との間に見られる差異はここにはなかった。

ひ弱で不幸なフィン族はスラヴ人の間にあってまばらで目立たない存在として、消極的に服従するか、無謀に独立を主張しながら、あらゆる運動の外に棲息していた。彼らはロシアにとっていかなる意義も持っていなかった。ロシアに公一族をもたらしたノルマン人(ヴァリャーグ)は、十六世紀までロシアを間断なく支配したが、これは征服者というよりはむしろ組織者であった。ノヴゴロドの人びとによって招かれた彼らは権力を掌握すると、短時日のうちに、この権力をキエフにまで広げた。*

* ヴァリャーグがどのようにしてルーシに居ついたかという問題については様々な議論が為されてきたが、これはわれわれにはあまり関心のない、歴史学上の問題である。ネストル〔の『年代記』〕の説の重要性は、十二世紀にヴァリャーグが侵入してきた様子を記述しているという点にあるが、ノルマンの真の役割を明言しているのはこの文献だけだということは認めなくてはならない。

数世代を経ると、ヴァリャーグの公たちとその従士たちは民族的特質を失い、スラヴ人と同化した。だが同時に、彼らはスラヴ人たちに活動への志向を伝え、出来上がったばかりの国家のあらゆる領域に新しい命を吹き込んだのであった。

スラヴ的特徴にはどこか女性的なところがある。知的にして頑健なこの種族は、多様な才能に豊かに恵まれながら、イニシアティヴとエネルギーにおいて欠けるところがある。スラヴ的本性には独り立ちするための何かが欠如していて、外から目覚めさせてくれるのを待っているかのようなのだ。スラヴ人にはいつでも、最初の一歩を踏み出すことが難しいのである。しかし、ほんのわずかな刺激を受けただけで、とてつもない発達を促進する力が作動し始める。ノルマン人たちが果たした役割というのは、後にピョートル大帝が西欧文明の助けを借りて果たしたそれに似ているのである。

住民は小さな農村共同体に細分化され、都市は少なかった。しかも、それらの都市は農村と何ら選ぶところはなく、違いと言えば面積的により大きく、木の柵(ограда)で取り囲まれているということにある程度であった(ロシア語の「都市(город ゴロド)」という言葉は「柵で囲う(городить ゴロジーチ)」という語に由来している)。それぞれの共同体は、自分たちの財産を分割することなく領有し、長老と見なされる家族の長のような者の家父長的支配の下にある、言うなれば、同じ家族の子孫なのである。このしきたりの純粋に君主制的性格は寄り合い《ミール》全体の権力によって、言い換えれば、全住民の全会一致の原則によって緩和されている。都市の社会秩序も農村のそれと同じであることから、当然のことながら、公の権力もまた民会(ヴェーチェ)と釣り合いのとれたものだったのである。

都市住民の諸権利は農民の諸権利と異なるところはなかった。概して、古代のロシアにおいて、われわれは他から区別されて独立した、何らかの特権的階級に出会うことはない。そこにあるのは民衆〔ナロード〕と、これとは全く関わりのない一つの種族——より正確には、公という支配者の一族、リューリックというヴァリャーグの子孫とだけである。公一族のメンバーは、彼らが所属する系統樹の分枝の古さと独特の序列に応じて、ルーシの全土を自分たちの間で分割した。国家は分領に細分されたが、これらは厳密に定められたことを何一つとして体現してはおらず、一族の最年長者の首位権のもとで、公たちによって支配されていた。そして、この最年長者は大公と呼ばれ、その所領をキエフに、後にはウラジーミルやモスクワに持った。他の公たちに対する大公の権力は極めて限定的であった。彼らはキエフの首位権を認めはしたが、キエフには現実的にはいかなる形でも依存していなかったし、キエフも国家の行政上の集権性を持っていたわけではなかった。分領が公たちの私的所有物と見なされたことは、決してなかった。それらがそうしたものでありえなかったのは、公がしばしば一つの分領から別の分領へと移動したり、幾つかの分領を一つにまとめてこれらを遺産としたり、息子あるいは男子の継承者の数に応じて幾つかの部分に細分したりしたからだが、年長制の序列に従って、時として彼らが大公になるということも、しばしばあった（大公を継承するのが長男ではなく、公の弟ということもあった）。こうした複雑な継承のやり方が血腥《ちなまぐさ》い争いや、いつまでも続く内訌《ないこう》の原因となったであろうことは想像に難くない。大公と分領公との間の争いは、モスクワに中央集権的権力が確立するまで続いたのである。

　公たちの傍らには武器を共にする仲間、彼らの友人、あるいは、高位の職責を果たす者たちに限定された集団がある。こうした人びとが貴族階級のようなものを形成することになるのだが、その性格を簡単に述べることは極めて難しい。というのは、この階級は他と画然と区別できるような、はっきりと表現されうるいかなる特殊性も有していなかったからである。「ボヤール」（大貴族）という呼び名は尊称であった。この呼び名はいかなる実質的な権限を与えるものではなく、継承されるものですらなかった。他の呼び名は職能を示すだけのものであった。かくして、位階的階段は目立たぬ形で膨大な数の都市住民や農民に連なっていたのである。これら社会の上層部が民衆から補充されているのはそうした理由による。リューリックと共にやって来たヴァリャーグの戦士の後裔が、一見、貴族制度という思想を持ち込んだように見えるが、スラヴ的精神が自らの家父長的にして民衆的な概念に従って、これをまるきり違う形に変えてしまったのである。「従士団（дружина ドルジーナ）」という公の常備の近衛に似たものは、独自の階級を形成するにはあまりに数が少なかった。公の権力は決してモスクワのそれほどに無制限の権力ではなかったのである。実際、公は多くの村や都市の長老でしかなく、共同体の民会と共にこれらを治めていたのである。しかしながら、彼は選挙で選ばれたのではなく、また、彼の属する一族の他のメンバーと最高権力を分け合っていたということで、大きな優位性を持っていた。のみならず、大公は国全体の最高の判事でもあった――当時にあっては、裁判権は執行権と分離されていなかったのである。不可思議なこの連合――その一体性は支配的一族の一体性に体現されていて、国が諸部分に分割されていても、また中央集権制がなくとも崩壊することのないこの連合、階級や都市と農村の違いも持たない同種の住民からなり、共産主義的体制のもとでの土地所有を趣旨とするこの連合は、同時代の他のいかなる国家とも似ていなかった。しかし、ロシア国家がヨーロッパの他の国家とそれほどまでに本質的に異なるものであったからといって、このことは十四世紀に至るまで、これらの諸国家より低いところにあったと想定しなくてはならない、ということにはならない。ルーシの民はこの時代、封建時代の西欧の人びとより自由だったのである。他方、このスラヴ的国家は隣接するアジアの諸国家とも似ていなかった。このスラヴ的国家に何らかの東方的要素があったとしても、それでもやはり、あらゆる点でヨーロッパ的性格が優位を占めていた。スラヴの言語がインド・ヨーロッパ系の言語に属しており、インド・アジア系の言語には属していないということに、議論の余地はない。それのみならず、スラヴ人は全住民のファナチズムを目覚めさせるような突発的な激発とは無縁だし、また、幾つもの世代をまたぎ、幾世紀となく同じ社会形態を維持することを可能とさせるような、無関心とも無縁である。スラヴ諸民族は東方の諸民族と同様、個の独立という感情をあまり発達させてこなかったとは言え、両者の間にある次のような差異を指摘しなくてはならない。すなわち、スラヴ人たちの個性は共同体によって跡形もなく飲み込まれてはいたが、彼は共同体の中にあっては、その活動的メンバーであったのに対して、東方では人間の個性は種族あるいは国家によって跡形もなく飲み込まれており、これらの生活に人は受け身的に関与してきただけだということ、これである。

ヨーロッパから見ればロシアはアジア的であったが、アジアの目から見ればロシアはヨーロッパ的であった。この二重性は、ヨーロッパとアジアの文明を結ぶ隊商の偉大な宿営所たるべきこの国の性格と運命に、完全に合致していた。

宗教の中にすら、この二重の影響が感じられる。キリスト教はヨーロッパの宗教であり、西方の宗教である。これを受け入れたロシアは、まさにそのことによって、アジアから離れた。しかし、ロシアが受容したキリスト教は東方的であった。それはビザンツから来たのである。

ロシア人のスラヴ的性格は、イリリア人〔アドリア海東岸の山岳地帯の住民〕やモンテネグロ人〔アドリア海東岸の住民〕に始まり、ロシア人とかくも長い間闘ってきたポーランド人に至るすべてのスラヴ人の性格と大変似てはいるが、ロシア的スラヴ人の最も際立った特質は(様々なスラヴ系諸種族が蒙ってきた異国の影響を別とすれば)、独立した強力な国家たらんとする不断の根強い願望であった。この社会的形成力はその程度に差はあれ、他のスラヴ系諸種族に、ポーランドにすら、不足している。国家を建設し拡大したいという理念は、早くも、キエフに最初の公たちがやってきた時代に生まれており、一千年後には、この願望はニコライ〔一世〕において再び顕現した。この理念はビザンチウムを領有したいという不退転の思想の中に、(一六一二年と一八一二年とに)国民が挙げて民族の独立を守るべく立ち上がった、あの奮闘の中に見ることになるだろう。ここで役割を果たしたのが本能であったか、それとも、ノルマン譲りの精神であったか、あるいは、その両者であったのかは別にして、スラヴ人の国々のうち唯一ロシアだけが整然たる強力な国家を形成することが出来たという、争いがたい事実の原因はここにある。外国からの影響も、中央集権制を容易にし、政府が持たなかった諸々の手立てをこれに提供することによって、ともかくも、その発展を促進してきたのである。

ノルマンの要素の後にルーシの国民性に混入してきた異国の最初の要素は、ビザンツの要素であった。スヴャトスラフの後裔たちが東ローマの征服を夢見ている間に、当の東ローマは彼らを精神的に服従させるべく事業に取り掛かり、それを成し遂げてしまった。ロシアの正教への改宗〔九八八年〕は誠に重大な事件であって、それは数えきれないほどの結果が幾世紀にもわたり影響を与え続けることによって、時として全世界の相貌を変えることになるほどに重大な事件の一つである。こうしたことが五十年あるいは百年遅れていたならば、ロシアにはカトリシズムが浸透し、これを第二のクロアチア、あるいは第二のボヘミアにしたであろうことは疑いない。

ロシアを獲得したことはビザンツの瀕死の帝国と、西方の競争相手によって貶められたその教会とにとって、大きな勝利であった。コンスタンチノープルの聖職者たちは、持ち前の狡猾さをもってこのことをはっきりと理解した。彼らは公たちを修道僧で取り囲み、彼らを宗教的ヒエラルヒーの首長に定めた。かくして、ギリシア教会は過去において蒙って来たあらゆることに復讐し、未来において蒙るであろうあらゆることから自分たちを守ってくれる後継者を見出したのである。しかも、それはアナトリアやアンチオキアにおいてではなく、黒海から白海に至る広大な空間を占める国の民においてであった。

ギリシア正教はロシアとコンスタンチノープルとを断ちがたい絆によって結びつけた。

それは自ずからこの都市へのロシア系スラヴ人の牽引力を強め、己が宗教的勝利によって、ギリシア正教を奉ずる唯一の強力な民の助けを得て、東方教会の総主教座を取り戻すための、来るべき闘いに備えたのである。

メフメト二世が勝利者としてコンスタンチノープルに入城した時〔一四五三年五月二九日〕、教会はルーシの公たちの足元にひれ伏し、その時以来、聖ソフィア大寺院の半月旗を彼らに指し示すことを止めたことはない。ファルメライエル氏はその『東方断章』の中で、トレヴィゾンドの町にパスケーヴィチ軍による大砲の一斉射撃の音が聞こえ始めた時に〔露土戦争(一八二八―二九年)時のこと〕、ギリシアの聖職者たちがどれほど歓喜したか、「ハギオン・ホロス」〔聖山〕なるアトス山の修道僧たちが正教の解放者たちをどれほど待ち望んでいたかを語っている。トルコの支配はわれわれが予見するこの結末にとって、おそらく、害よりも多くの益をもたらした。カトリックのヨーロッパが以後四世紀もの間、末期の東ローマ帝国をそのまま放置しておくことはなかったことだろう。カトリック教徒たちが東方の帝国を支配しようとしたことがすでに一度あったが〔一四三九年フィレンツェにおける教会合同会議〕、それが実現していれば、おそらく彼らは皇帝たちを小アジアのどこか僻遠の地に追放し、ギリシアをカトリックに改宗させたことだろう。たとえそうしたことになったとしても、当時のロシアには西方の国々がギリシアを蚕食するのを妨げる力を持たなかったことだろう。このように、トルコ人によるコンスタンチノープルの征服は、法王による支配からこれを救ったのである。トルコ人の軛は、当初こそ残忍にして残酷で血腥かったが、恐れるものが無くなると、彼らは征服された諸民族にそれぞれの宗教を安心して宣教し、それぞれの風習に従うことを許した。その後の四世紀はこのようにして過ぎたのであった。その間に、ロシアは逞しくなり、ヨーロッパは年老い、他方、トルコ帝国は、モレアの解放と改革者たるスルタンの時代〔マフムト二世(在位一八〇八―三九)〕を無事に生き延びたのであった。(1)

やがて、ビザンツの影響にさらにもう一つの影響が加えられた。西方の精神よりもさらに異国的な、モンゴルの影響である。タタールは蝗の大群のように、途上に出会ったあらゆるものを破壊し尽くす暴風のように、ロシアの頭上を通り過ぎた。彼らは町々を略奪し、村々を焼き払い、先を争って強奪しあい、暴虐の限りを尽くした挙句、カスピ海の彼方に去り、そこから時折、征服された諸民族におのが支配権を思い出させるべく、兇暴な徒党を送って来るのであった。勝利者たる遊牧民は国家の内的組織や行政機構や政府には手を付けなかった。彼らは住民にギリシアの信仰を自由に伝教することを許したばかりでなく、ルーシの公たちに対するタタールの支配権を認めること、支配地の安堵を求めてハンのもとに伺候すること、然るべき貢物を納めることなどを求めるに止めた。それにもかかわらず、モンゴルの軛は国に恐るべき打撃を与えた。数次に及ぶ蹂躙《じゅうりん》による物質的損害は、人びとを完膚なきまでに疲弊させた。彼らは貧困の重圧に押しひしがれていた。人びとは村から逃亡し、森をさまよい、住民の誰もが身の危険におののいていた。年貢に加えて貢物の献納までも加わった。貢納が少しでも遅れれば、無制限の全権を有するハンの徴税官が数千ものタタール人やカルムイク人を伴って、取り立てにやって来るのであった。まさにこの、ほぼ二世紀の長きにわたる禍々《まがまが》しい時代に、ロシアはヨーロッパに後れを取ることになってしまったのである。迫害されて零落し、いつも怯《おび》えて生活していた民に、抑圧された者たちに固有の狡猾さと追従の特質が現れた。公共の精神は衰えた。国家としての一体性それ自体、崩壊の危機に瀕し、至るところに深い亀裂が生じていた。南部のロシアは中央ロシアからいよいよ遠く離れていった。その一部はポーランドに引き寄せられ、他の一部はリトアニアの支配の下にあった。モスクワの大公たちはキエフを気遣うことをやめた。ウクライナには自由なコサックが溢れ、この武装した徒党は軍事的共和国を形成することになるが、これらはロシアの隅々から逃亡したり移住したりして来た者によって補充された。いずれもいかなる主権者をも認めない人びとであった。遠隔の地にあり、しかも通行困難な沼沢に囲まれていたためにモンゴルから身を守ることが出来たノヴゴロドとプスコフは、中央ロシアから独立しようと、あるいは、ここを支配下に置こうとしていた。国家の中心部、そのもっとも荒廃した部分には、新しい町〔モスクワ〕が生まれた。それはいかなる権威も持たない無名の存在であったにもかかわらず、傲慢にもロシアの首都という名を僭称《せんしょう》した。鬱蒼たる針葉樹林に埋もれたこの町はいかなる未来も持たないかに見えたが、しかし、まさにこの地にこそ、ルーシの生活の中心的な結び目が生まれたのである。

大公たちがキエフを見捨てた時以来、彼らの権力の性格は変わった。ウラジーミルでは、彼らはより専制的になった。公たちは自分たちの分領を固定した世襲の財産と考えるようになった。モスクワでは公たちは相続の秩序を変えた。継承者と見なされるようになったのは、年長の兄弟ではなく、年長の息子であった。彼らは公一門の他の者たちの分領をどんどん縮小していった。伝統も慣習も持たない若い町にあっては、民衆の要素が力を持つことはできなかった。何よりも、まさにこのことの故に、モスクワは公たちを魅了した。モスクワの全ての公たちの指導原理となったのは、国家のあらゆる部分を結びつけて、欠けるところのない一つの国を創り出すという理念であった。こうしたことの端緒を作ったイワン・カリターは、この時代の君主の典型であった。目端が利いて腹黒く、狡猾ですばしっこいこの男は、恭順の意を最大限に示してモンゴルの歓心を買い、その庇護を取り付けようと努めながら、他方で、己が力を強大なものにするためとあれば手段を選ばず、可能な限りあらゆるものを我が物とした。モスクワは前代未聞の速さで発展していった。モスクワの地理的位置もまた、公たちの不抜の意志を助けた。モスクワは大ロシアの真の中心となった。モスクワから程遠からぬところ——百五十キロから二百キロ離れたところに位置するトヴェーリ、ウラジーミル、ヤロスラヴリ、リャザン、カルーガ、オリョールといった町々ばかりか、もっと遠くにある町々——ノヴゴロド、コストロマー、ヴォローネジ、クールスク、スモレンスク、そして、キエフまでもが、モスクワに臣従した。

中央集権化が不可避であることは誰の目にも明らかであった。これなくしてはモンゴルの軛から脱することは出来なかっただろうし、国家の統一を助けることもできなかっただろう。しかし、それでもわれわれは、モスクワの絶対主義がロシアを救う唯一の手立てであったと考える者ではない。

歴史において仮定がいかにみすぼらしい地位を占めるか、われわれはよく知っている。しかし、われわれは既成の事実の範囲内に閉じこもることによって、あらゆる可能性を考察せずに捨て去ってもよいという理由を認めることはできない。われわれは諸々の出来事の中にそれらの絶対的な必然性を見ようという宿命論を、いささかなりとも認めない。これは思弁的な哲学によって、歴史や自然科学の中に持ち込まれた抽象的で理論的な観念である。現に起こったことには、もちろん、起こるだけの根拠があったのではあるが、しかしだからと言って、それは、諸要因の他のあらゆる結合の仕方がありえなかったということを意味しているわけではない。これらの結合の仕方がありえないように見えたのは、ただ、他の最もありうべき結合の仕方が実現されたからに過ぎない。認められるのはただそれだけだ。歴史の歩みというものは、普通に考えられているほど、予め決められているのではないのである。

十五世紀、晩くとも十六世紀の初めにおいてすら、ロシアにおける諸事件の展開にはまだ流動性があったので、民と政治の在り方の方向を規定する国の二つの原理——公と共同体、モスクワとノヴゴロド——の内、どちらが勝ちを占めることになるかは不分明なままだった。モンゴルの軛から自由な、偉大にして強力なノヴゴロド——共同体の権利を公のそれよりも上位に置き、常々自らを独立不羈《ふき》なるものと見なし、ロシア全土に属領の網を広く張り巡らせたメトロポリス〔都市国家〕たるノヴゴロドは、ハンザ同盟の諸都市との活発な交易によって豊かであった。公たちに忠実な分領たるモスクワは、モンゴルの恩顧を受けて古い町々の廃墟の上に復興を遂げた、キエフ時代の真の共同体的自由を全く知らない種族の住む町であった。勝ちを占めたのはモスクワであった。しかし、ノヴゴロドにも勝利を期待しうるだけの根拠があった。そのことを説明しているのが、二つの町の間で行われた死闘であり、イワン雷帝がノヴゴロドに対して行った残忍な所業である。ロシアが救われるのには、共同体的な制度の発達によってか、一人の人間の専制的権力によってか、二つの可能性があったのである。だが、諸々の出来事は専制の側に有利に展開し、ロシアは救われ、強く偉大な国になった。だが、その代償は何であったか。それは地球上で最も不幸にして、最も奴隷的な国である。モスクワはロシアを救いはしたが、ロシアの生活において自由であったものをすべて圧殺してしまったのである。

モスクワの大公たちは自らの称号を全ルーシのツァーリという称号に変えた。大公という控えめな称号は、もはや彼らを満足させなかったのである。それは彼らにキエフ時代や民会を想起させたからだ。その頃、ビザンツの最後の皇帝はコンスタンチノープルの城壁の下で斃れてすでに亡かった[2]。イワン三世はソフィア・パレオロギナを妻として娶《めと》り〔一四七二年〕、コンスタンチノープルを追われた双頭の鷲は、モスクワのツァーリの旗に現れることになった。ギリシアの修道僧たちは東方のキリスト教世界に向かって、神のお告げとして、報復の秋は遠くない、それは北からやって来ると語った。ビザンツの聖職者たちがあらゆる不幸の中でも最悪の不幸と恐れていたのは、ラテン人〔カトリック教徒〕の支援であった。

彼らはロシアのツァーリをただひたすら待ち望んだ。その時にも、彼らはまたしてもロシアの政庁をビザンツ化しようと熱心に努めた。当然のことながら、彼らが望んだのはロシアをコムネノス朝〔一〇八一―一一八五〕やパレオロゴス朝〔一二六一―一四五三〕の時代の〔東ローマの〕国家に準《なぞら》えて作り変え、これを信仰に忠実な物言わぬ暗愚な国家、知の光を持たぬ国家に変えることであった。この国家を統《す》べるのは形の上ではツァーリではあっても、教会がこれを聖化し、権力を掌握することになるはずだったのである。

モンゴルによってなされた壊滅的打撃から次第に立ち直ったルーシの民ではあったが、気がついて見ると、その目の前にいたのは無制限の君主権力を持ったツァーリであった。その抑圧はハンの庇護のもとでこの権力が手にした力のせいで、ことのほか重かった。ツァーリは分領の大部分を再統合し、これらをモスクワの統治下においた。ツァーリは他の公たちを全て合わせたよりも、また、諸都市の住民たちよりも強力なものとなった。彼は謀反人を見つけると、それが公であるか都市であるかを問わず、これらを血に飢えた獣のような残忍さをもって、己が権力に屈服させた。ノヴゴロドはよく闘ったが、最後には折れた。民衆を広場に呼び集めた鐘――それゆえ民会の鐘と称された大きな鐘は戦利品として、ノヴゴロドの住民たちがつい最近までかくも軽蔑していた当の町、モスクワに運び去られた。ノヴゴロドの使者たちはイワン三世に言ったものだ。「汝は我らにモスクワの法に従うよう命じているが、我らはモスクワの法の何たるかを知らぬ。我らにそれを知らしめよ。」イワン四世はこの嘲笑を忘れなかった。ノヴゴロドが略奪され、プスコフが占領され、トヴェーリが屈服させられた後となっては、他の町々にはモスクワにまともに抵抗することなど考えられなかった。そうでなくとも、彼らはすでにモンゴル人やポーランド人やリトアニア人などの侵略を味わってきたのである。民会は次々と沈黙し、国全体に深い静寂が訪れ、ツァーリは全能の専制君主となった。

聖職者たちによって権力に植え付けられたビザンチズムは、表面的なものにとどまり、民族の深層を侵すことはなかった。それは民衆の民族的性格にも、政体についてすら、適していなかったのである。ビザンチズムは老いさらばえ、疲れ果て、死の前の苦悶にじっと耐え忍んでいた。ルーシの民は零落し、打ちひしがれ、再び自分の足で立つだけの力が足りなかった。しかし、彼らは若かった。そして、現に、絶望してはいなかった。彼らは戦場で打ち負かされたというよりは、むしろ戦場を立ち去ったのである。彼らは町での権利を失いはしたが、それらを農村共同体の奥深いところで護った。彼らには、果たしてカール五世のように、生きながらにして棺に入ったり、(3) ビザンツの教会の儀式に従った華美で荘厳な葬儀に満足したりすることが出来ただろうか！

これは争いがたい真実だったので、モスクワの玉座に就いた精力的な者たちは皆、己が権力を閉じ込めてきた形式主義の窮屈な枠を打破しようと努めた。ピョートル一世以前では、イワン四世、ボリス・ゴドゥノーフ、偽ドミートリー〔一世〕らがクレムリン宮の眠気を誘うような重苦しい雰囲気を変えようとしたが、彼ら自身がこの雰囲気の中で息を詰まらせていたのである。子供っぽい形式主義や紛れもない奴隷制というこの体制のもとでは、国が道徳的に堕落し、何事もはかどらず、地方の行政組織は臣民にとってますます重荷となるばかりで、国家にとって益になることは何一つとしてないことを、彼らは知った。彼らは、モスクワの総主教の祈禱《きとう》やアトス山渡来の奇跡を行うイコン〔聖像画〕では、時期より早いこの休眠状態から抜け出すには十分ではないことを知ったのである。

　イワン雷帝〔四世〕は大胆にも共同体組織に敢えて助けを求めた。彼は己が法典を古来の自主権の精神に則って修正し〔一五五〇年〕、税の徴収と地方行政を選ばれた役人たちに委ね、宣誓人(4)の権利と義務とを拡張し、刑事事件をその裁量に移し、身柄の拘留はいつでも宣誓人の同意を得て初めて為されるように求めた。彼は地方行政の監督官の役職を廃止し、その地のその時どきの行政機関の指導の下で、各地方に自治権を与えようとさえした。しかし、これまでのツァーリたちによって打撃を受けて来た共同体的自由は、全能にして狂暴なツァーリの呼びかけにもかかわらず、ついに蘇ることはなかった。彼の目論見はことごとく抵抗に遭い、実を結ぶことはなかった。十六世紀の末まで、組織の壊滅と一般的無関心とはかくも甚だしかったのである。絶望のあまり激高し、憎悪と嫌悪の念に溢れ、イワンは処刑を繰り返したが、それらは手の込んだ残忍さで際立っていた。ある時など彼は外国出身のさる宝石商を相手に、「予はロシア人ではない、ドイツ人である」と語ったこともあった。

ボリス・ゴドゥノーフはヨーロッパに接近し、ロシアへ西欧の学問や芸術を導入し、学校を開くことを真剣に考えていた。しかし、学校を開くということは聖職者からの断固たる抵抗に遭った。彼らは何でも受け入れたが、正教に由来しない開明的な思想だけは危険視していたのだ。外国人を招聘することも、彼らがロシアに入ることをバルト沿岸の諸民族が阻止しているという理由から、容易ではなかった。その理由というのは、自分たちの子孫がロシアに隷属させられてしまうことを予感し、西欧からモスコーヴィア〔モスクワ国〕に向かうあらゆる光を遮ろうとした、ということであったらしい。

ボリスに敢えてやるだけの大胆さのなかったことを成し遂げようとしたのが、偽ドミートリー〔一世〕であった。教養を身に付けた開明的で騎士的な人物であった彼は、ポーランドとコサックに支持され、王位継承権の正統性を巡る内乱を経て玉座に就いた。ドミートリーはロシアの古い習慣や姑息な風習を、前任者より公然と攻撃した。彼は改革の計画も、ポーランドの風習やローマ教会への好意も隠そうとはしなかった。

復讐心に燃える大貴族たちに焚きつけられたモスクワの民衆は、危殆《きたい》に瀕した正教と民族性の名のもとに立ち上がり、宮中に闖入《ちんにゅう》すると若いツァーリを虐殺し、その遺骸を辱め、それを焼いた灰を大砲に詰めて吹き飛ばした。

こうした出来事に触発された発酵作用は、強烈な活動性を国中に広げた。ロシアはカザンからネヴァへ、そして、さらにはポーランドへと蠢《うごめ》き始めた……。果たしてこれは別の生き方をしたいと言う民衆の無意識の願いであったのだろうか、それとも、完全な受動性を前にした絶望の最後の閃《ひらめ》きであったのだろうか。そして、それ以来、民衆は政府に自分たちを己が恣《ほしいまま》に支配する権利を委ねてしまい、それが今日にまで及んでいるのではないだろうか。

民衆の狂乱と憤怒には大いなるものがあった。血は至るところで流された。偽ドミートリーの死後、玉座を窺うものが一人、また一人と現れた……。彼らの一人〔偽ドミートリー二世〕はモスクワから数露里のところに強固な要塞を築き、ルーシの自由な従士団やポーランドの兵士やコサックに囲まれて陣取っていた。地方〔オーブラスチ〕はそれぞれに武装し、ある地方はモスクワを守るために、また別の地方は僭称者に加勢するために、各陣営に馳せ参じた。クレムリン宮は空っぽになり、ツァーリもいなければ、正規の政庁もなかった。ポーランド王ジグムンドは自分の息子ウラジスラフをロシアに押し付けようとしていた。北ロシアはスウェーデンの軍勢が占拠し、自国の王子の一人をルーシの玉座に上らせようと目論んでいた。民衆はシューイスキー公家を推したが、地方はこの公家の名に耳を貸そうとしなかった。いかなる政庁も無いままに、ツァーリの空位、内乱、ポーランド人やコサックやスウェーデン人との戦争が四年の長きにわたり続いた。民衆は自国の政治的独立を護るために最後の力を振り絞った。彼らはいかなる犠牲をも惜しまなかった。ニジェゴロドの肉屋のミーニンとポジャールスキー公が祖国を救った。しかし、それはただ外国の勢力から祖国を救っただけだった。動乱に疲れ、僭称者に疲れ、戦さに疲れ、略奪に疲れ果てていた民衆は、ただひたすら休息を求めていた。まさにそんな時に、いかなる法にも拠らず、民衆の同意もないままに、ツァーリの選定がそそくさと行われ、若い〔ミハイル・〕ロマノフが全ロシアのツァーリとして宣言された。彼に白羽の矢が当たったのは、彼が年若く、そのため、いかなる党派の疑念も呼び起こすことがなかったからだ。これは疲労困憊によって押し付けられた選出であった。

ロマノフ家の治世の下、ピョートル以前には、似非《えせ》ビザンツ的秩序はその完全なる繁栄に達した。民衆はどうやら死んでしまったようだった。彼らが生きている兆候を示したのは、ただ、略奪者として群れを成し、サマラやヴォルガの岸辺を荒らしまわっている時だけだった。愚かしい行政の鈍重な機構が民衆を抑圧していた。己の無能さを自覚した政府は、ヨーロッパに範を取ることなくしてはこの難局を乗り切ることが出来ないことを知り、外国から人を招き、助けを乞うことになった。しかしながら、愚かな矛盾ゆえに、政府は相も変わらず、排他的な民族性の中に閉じこもり、あらゆる新機軸に粗野な憎悪の念を募らせてもいた。

当時のモスクワの風俗を想像するには、ロシアの外交官で十七世紀の末にストックホルムに逃亡した、コシーヒンの書いたものを読まねばならない。息の詰まるような社会のこんな雰囲気や、終末期の東ローマ帝国を下手に真似ただけの風俗の、こんな悪趣味な戯画を前にしては、恐怖のあまり尻込みしないわけには行かない。酒盛り、盛大な行列、朝晩の祈禱、宴会、外国からの使節の接見、一日に三度ないし四度の着替え――ツァーリたちのやることといえば、ただこうしたことばかり。彼らを取り囲んでいたのは教養も威厳も何もないオリガルヒ〔少数の顕官〕ばかり。祖父たちが就いていた職責を鼻にかけていたこれらの傲岸な大官連中が、ツァーリの厩《うまや》はおろか広場ですら鞭《む》打《ちう》たれることがある。それでいて、彼らには屈辱の意識がない。こうした無知で愚かで無関心な社会には、人間的なものは何一つとして感じられない。こんな状況からは逃げ出すか、それとも、成人に達する前に堕落してしまうほかない。

だが、どうやって逃げ出すのか、救いはどこに期待できるのか。聖職者階級は当時その偉大さと影響力の点で頂点に達していたとはいえ、彼らからこれを期待することは、もちろん、できなかった。民衆は首《こうべ》を垂れて傍らに立っていた。鞭で打たれるような大貴族に果たして民衆に道を指し示す力があっただろうか。明らかに、「否」である。だが、焦眉の必要が生じたときには、これに応えるような手立てはいつでも見つかるものだ。

ロシアを救うべき革命は、この時まで無関心のまま何もしてこなかった、他ならぬ、ロマノフ家の懐から生まれたのであった。

この話を続ける前に、ロシア史の最も込み入った問題の一つに触れておかねばならない。それは農奴制がいかにして生まれたかという問題である。古今の歴史を繙《ひもと》いてみても、十七世紀のロシアの農民の身に起こり、十八世紀に最終的に確立したようなことは、どこにも見られない。単純な警察的措置により、また、権力の黙認と農民自身の無気力とをいいことに、人の住む土地を領有した地主たちの不法な行為により、かつては自由な人びとであった農民が、どうして土地に緊縛され、どうして土地共々、地主の所有物となってしまったのか。どうやら、この時までスラヴ人が保持してきた人間の自然状態におけるあらゆる自由が、苦悩と革命を通じて再び取り戻されるためには、絶対主義と専制との恐ろしい試練を経なければならなかったようだ。

ツァーリが諸都市や農村の自主権を掘り崩しつつあった時にも、農村共同体に手はつけられなかった。その順番が来た時でも、踏みにじられたのは共同体ではなく、農民であった。農民がある地主の土地から別の地主の土地に移住する権利に手を付け、これを制限したゴドゥノーフの法律が出たのは、十七世紀初頭のことであったが、この法律は移動に対する農民の権利に関しては疑義を呈してはいなかったし、ましてや、人格的自由については言うまでもなかった。この法の動機は、ただ、政府の観点からしてもっともな経済的理由だけであった。農民は貧しい地主を見捨て、豊かな所有者の土地に逃げ込んだのだが、その結果、地味の豊かな地域の人口は過剰になり、他方、不毛な土地は人手不足となってしまったのである。加えて言えば、ツァーリ・ゴドゥノーフは狡猾な王位簒奪者《さんだつしゃ》として大地主たちに敵意を抱かれていたので、この法律により小所有者たちの歓心を買おうとしたということもあった。これが農奴化への第一歩であった。(5)

やがて、この同じ君主が別の法律を出したが、(6) これはほとんど理解不能なものであった。これを理解できるようにするためには、わがロシアには、元来、農奴の数は極めて少数であったということを言って置く必要がある。彼らは軍事的捕虜であったり、他国で買った非自由民（ホロープ）であったり、孫や子と共に奴隷として自らを売った者たち（カバーリニィ・リュージ〔債務奴隷〕）であった。こうした者たちは皆、共同体や地主の土地と結びついた農民とも、大貴族の自由な下僕とも、いかなる共通なものを持ってはいなかった。彼らはしばしば主人によってまとめて暇を出されて四散し、街道筋で物乞いをしたり盗みを働いたり、または、ヴォルガの盗賊団やドン・コサックに加わったりした。こうした集団は放浪者や社会に敵意を抱く全ての者を自分たちのところで匿っていたのである。常に警戒を怠ることのなかったボリスは、常に不満を募らせたこの飢えた大量の者たちを危険視していた。かかる好ましからざる事態を終わらせ、彼らが飢饉の折にも食べるものに事欠かず、あちこちうろつかなくて済むようにしてやるためにということで、彼は法令を出したのだが、これにより、一定の期間〔五年〕主人のもとで過ごした召使はこの主人の農奴となり、その下を去ることできず、自由にもなれない、ということになってしまった。かくして何千という人びとが、何のことやら分からぬうちに、隷属的身分に落ちることになってしまったのである。しかし、それでも出奔する者、逃亡する者の数は一向に減らなかった。十七世紀初頭のロシアを荒廃させた〔偽〕ドミートリー〔二世〕や、ゴンセフスキー、ジョルケフスキーといったザポロージエのコサックらの徒党やあらゆる傭兵隊長に、この法律がどれほどの兵士を保証することになったか、その数を言うことは難しいだろう。ボリスの治世からエカテリーナ二世に至るまで、密やかな暗い動揺が農村の民衆を捉え続けて、プガチョフの反乱〔一七七三―七五〕の想い出は、彼らの中に未だに生きているのである。

あらゆる地主たちがモスクワ大公のミニチュア版といった役どころを演じていた。都市が取るに足りない曖昧な習慣として辛うじて保持していた自由を失って行くのとほとんど同じように、共同体も地主との闘いの中で、自分よりも精力的で利己的な権力と個人主義の原理によって、打ち負かされていった。自ら無制限の権力に依拠したツァーリズムは、必然的に、農民の諸権利を侵害しようとする地主たちの企みを擁護しなくてはならなかった。それは本来農民階級を保護するべき宣誓人を追放し、地主と農民との争いで常に地主を支持したのである。それにもかかわらず、法は正確には何ひとつとして成文化されて規定しておらず、現に行われていたのは、政府の側からの権力の乱用のみで、民衆はただ唯々諾々とそれに従うばかりであった。

ピョートル一世が一七一〇年の法令によって施行した最初の国勢調査があらゆる奇形的な権力の乱用に法的根拠を与えた時、物事の秩序はこのような状態にあった。これらの乱用にお墨付きを与えたのは、ロシアの啓蒙者たる彼に他ならなかったのである。彼をしてこのような措置を取らせた原因を突き止めようとしても、それは難しいだろう。

それは誤りであったのか、悪意であったのか、それとも天からのお告げであったのか。だが、ピョートル一世その人が自らツァーリズムと革命とを体現していたのと全く同じように、地主は不当な権力の権化であると同時に、真の革命的酵母でもあった。国家に動きをもたらしたのはピョートル一世であったが、地主は不活発で腰の重い共同体を、直接的あるいは間接的に、革命へと導くことになったのである。この発酵性の物質が最終的に分解することになることには、いかなる疑いもない。しかし、それは絶対主義の崩壊が成就されるより先のことではないだろう。大地の産物たるこの共同体は人を眠らせ、その独立性を飲み込むが、それは専横から自らを守ることも、その成員を解放することもできない。それが生き延びるためには、革命を経なくてはならないのである。

共同体的自由はすべてモスクワのツァーリたちの明瞭に発揮された個性との衝突の中で、事実上、消滅しつつあった。しかし、幸いなことに、彼らの系図はピョートルに通じていた。彼はルーシの民の中に隠されていた革命的原理を真に具現する者であった。さる若い歴史家〔コンスタンチン・カヴェーリン（一八一八―一八八五）〕が言ったように、ピョートル一世は独自のやり方を貫く勇気を持ったロシアで最初の個性であった。今日、同様の役割を演じようとしているのはロシアの貴族階級である。共同体との関係において、彼らは個人性の原理を対置している、従って、絶対主義に反対する立場を取っている。

貴族階級が共同体を壊すことはないだろう。彼らは共同体が自分たちに敵対しない限りにおいて、これを迫害しないだろう。幾世紀にもわたり存続し続けてきた共同体は不滅である。ピョートル一世が貴族階級を民衆から引き離し、農民に対する恐るべき権利をこれに与えてしまったことによって、彼は民衆の中にこれまではなかったような深い敵意を植え付けてしまった。そうした敵意はこれまでもありはしたが、その程度はそれほどではなかったのである。このような敵意は社会革命を招来するだろう。そして、冬宮にはこの運命の酒杯をロシアから突き退けるような神はいないだろう。

訳　注

(1) 一八三二年、ギリシアはトルコから独立した。モレアはペロポネソス半島の別称。

(2) コンスタンチノス十一世パレオロゴスは一四五三年、対オスマン帝国戦で没。

(3) カール五世(一五〇〇―一五五八、在位一五一九―五六)は最晩年中風を患い、神聖ローマ帝国の位を弟に、スペインの王位を息子に譲り修道院に隠棲し、二年後に没した。

(4) ツェロヴァーリニク、モスクワ公国時代に税務・司法・警察の行政を司った役人。就任に当たり、公正な業務の執行を十字架に接吻(ツェロヴァーチ)して誓ったことから、この名で呼ばれることになった。

（5）農奴制の始まりは、通常、イワン三世の時代、一四九七年の「法令集（スジェーブニク）」において、農民の移動時期を秋のユーリーの日（十一月二十六日）前後の一週間に制限した時とされる。こうした移動期限は一五八一年（イワン四世の時代）にこの年に限り撤廃され、この年は一年を通じて移動が禁止されたが、以後、次第に時限性が薄れ、一六四九年（ツァーリ、アレクセイの時代）、「法典（ウロジェーニエ）」によって正式に恒常的な移動禁止へとすすみ、ここに農奴制が最終的に成立したとされる。

（6）一六〇一—〇三。農民の移動制限が緩和され、非自由民の身分的制約も緩和された。

第三章　ピョートル一世

国家が陥っていた苦しい状況から脱出したいという願望は、いや増しに募るばかりであった。と、まさにこの十七世紀の末に帝位に登ったのが、多方面にわたる才能と不屈の意志とを天与のものとして持つ、一人の大胆な革命家であった。

ピョートル一世は東方的なツァーリでも、ディナスト〔中世的な小君主〕でもなかった。それは社会救済委員会〔フランス大革命時の公安委員会〕にも似たデスポット〔専制者〕ではあったが、固有の名を有する偉大な理念の名の下でのデスポットであった。そして、その理念は彼を取り巻くあらゆるものを凌駕する、議論の余地なき優越性を確証するものであった。彼はツァーリの肢体を包む神秘の覆いを引き裂き、彼の先行者たちが着飾っていたビザンツの古い衣装を嫌悪して脱ぎ捨てた。ピョートル一世は、宮殿からウスペンスキー大寺院へ、ウスペンスキー大寺院から宮殿へと厳かに移動する時に、民衆に遠目に見せるために金襴《きんらん》や高価な宝石で飾り立てた、キリスト教のダライ・ラマという惨めな役どころに満足していることが出来なかった。ピョートル一世は一個の人間として、民衆の前に立ち現れる。軍隊用に作られた粗末なフロックコートを着込んだ、この倦《う》むことなき働き手が、朝から晩まで指令を発し、それをどう実施したらいいかを教えている様を、誰もが見ている。彼は鍛冶屋であり、指物師であり、技師であり、建築家であり、そして、航海士でもある。従者も伴わず、時には副官を一人伴うこともあるが、群を抜いた背丈の彼の姿はどこからでも見える。われわれがすでに言ったように、ピョートル大帝はロシアで最初の自由な個性であった。そして、まさにそのことによって、彼は帝冠を戴いた革命家であった。

彼は自分がツァーリ、アレクセイの息子であることを疑っていた。ある晩、彼は宴席でヤグジンスキー伯爵に、私の父はあなたではないかと、率直に尋ねたものだ。ピョートルの執拗な問いにヤグジンスキー伯爵が答えて言うには、「存じません。今は亡き后妃に置かれましては、あまたの寵臣がおいでになりました!」帝位継承の問題とはかくのごときものだったのである。王統に関わる興味深いこととしてよく知られていることだが、ピョートルがプルート河畔で絶望的な危機に陥った折〔北方戦争(一七〇〇―二一)時の一七一一年七月一〇日のこと〕、彼は元老院に書簡を送り、後継者として最も適任なるものを選定するよう命じたそうだ。彼は息子を自分の後継者として適切ではないと考えていたのである。後に、彼は息子を裁判にかけ、牢獄で処刑することを命ずることになる。ピョートル一世は、酒場の女将でスウェーデンの兵士の妻であったものを寵臣メーンシコフ公爵が囲っていた女を王妃としたのだが、その公爵だとて、元をただせばピロシキ売りの小僧であった。府主教フェオファンとメーンシコフ公爵とがピョートル一世の遺志を公に示した時の諸々の事情には、不審なところが少なからずあったが、事実として残っているのは、ロシア語をろくに喋れないリヴォニア生まれの山師的な女が、彼の死後に女帝として宣言され、これについて誰一人としてその正統性を問うものはいなかったということである。

ピョートル一世はギリシア教会〔正教〕への無関心、あるいは蔑視をほとんど隠そうともしなかった。こちらは当然のことながら、古い秩序と共に失寵を託《かこ》つことになった。彼は新しいモーシ〔聖骸〕を作ったり、奇跡を行ったりすることを禁じた。彼は総主教を政府によって任命されるシノド〔宗務院〕に代え、国王の代理人としてその総監に竜騎兵隊の士官〔イワン・ボルチン（?―一七三一?）〕を任命した〔一七二一年〕。これまでも総主教が最高の諸権限を有していたことはなかったし、ツァーリに対して全く独立的であった試しはなかったが、それでも彼は教会の一定の統一性を体現してはいた。まさにそれ故に、ピョートル一世はツァーリと並び立つ地位を常に占めていたこの位階を廃止したのである。しかしながら、ピョートル一世は教会の首長ではさらさらなく、彼の権力は完全に世俗的あった。彼がペテルブルクの帝位に付与した際立った特徴も、まさにこのようなものであった。すなわち、ピョートルの目的と手段は、実践的にして世俗的で、かつ現世的であった。彼は現実の枠の外に出ることはなかった。そして、一旦教会の影響力を無にしてしまうと、彼はそれ以上教会のことも、宗教のことも考えなかった。彼の頭は別のことに向けられた。彼は壮大なロシア、巨人的な国家を夢見ていたのである。これはその版図を遥か遠くアジアの彼方にまで広げ、コンスタンチノープルとヨーロッパの運命とを支配することになるはずだった。

　概して、ヨーロッパはロシア皇帝の宗教的権威について誇張されたイメージを持っている(1)。この誤りにはそれなりの出所があるが、それは決してロシア史ではなく、末期東ローマ帝国の年代記である。ギリシア教会は常に国家に対して消極的ながら服従し、権力の望むことを全て行ってきたが、その代わり、権力の方も宗教の、あるいは聖職者たちの利害に直接干渉することはなかった。ロシア教会はギリシアの教会法典集に依拠していたが、独自の司法権をもっていたので、ツァーリが聖権を掌握するためには、黙っていても自然と教会の首長になるというのではなく、教会の首長であることを意図的に闡明《せんめい》することが必要だった。モスクワのツァーリたち、例えば、イワン四世にはコンスタンチノス〔五世〕・コプロニュモスやヘンリー八世を思わせるところがあったが、処刑する者がいない時には聖書解釈学などに手を染めていた彼のようなツァーリならいざ知らず、ピョートル一世の後継者たちともなると、四人も女性で、しかも、ロシア人は僅かに一人、ということもあって、このような考えは否定されることを余儀なくされる。教会の首長になるという考えは、まる一世紀にわたり、彼らには無縁なものとなっていたのである。教会の首長という存在を再び日の当たるところに出すという栄誉を担ったのは、パーヴェル一世であった。おそらく、ロベスピエールを妬ましく思ったためであろうが、彼は戴冠式のために半ば兵士風、半ば聖職者風の衣装を作るように命じ、自己流の首長説を唱え始め、カザン寺院で自ら聖体礼儀を執り行うことを望むに至ったのである。しかしながら、彼のこの笑うべき考えは放棄の止むなきに至る〔彼は一八〇一年、宮中クーデターによって暗殺された〕。そもそも、分離派教徒にして妻帯者でもある当のパーヴェルたるや、マルタ騎士団の団長という称号を授与されていたことは周知のことであり、彼が半ば狂人であることも、誰一人として知らぬ者のない秘密だったのである。

古いロシアと完全に決別するべく、ピョートル一世はモスクワを捨て、「ツァーリ」という東方的称号も捨て、バルト海に面した港に居を移し、そこで「イムペラートル」

〔皇帝〕と称することにした。このようにして開かれたペテルブルク時代は、従来の歴史に言う君主制の延長ではなかった。それはいかなる轡も知らないデスポチズムの若く活動的な時代の始まりであったが、同時に、それは偉大なる事業と偉大なる犯罪とが共々に始まる時代でもあった。

ペテルブルク時代とモスクワ時代とを結ぶただ一つの思想があった。それは領土の拡大という思想であった。君主の尊厳、家臣の血、近隣諸国との正常な関係、国全体の安寧等々、万事がこのことの犠牲に供された。だが、似ていたのはただこの点のみで、他のことでは、ピョートル大帝は古いロシアに対して不断にプロテストする人であった。すでに見たように、王位の継承と宗教の問題において、彼は解放された人として振る舞った。彼の生活の仕方は国の慣習とさらに大きくかけ離れていた。賑やかな悪戯《いたずら》を好む彼は、それを誰からも隠そうとはしなかった。ペテルブルクは、おのが君主が明け方になって、ハンガリー・ワインやアニス・リキュールにしたたか酔って宴席を離れると、すっかり足元の覚束なくなった大臣連に囲まれて、召集太鼓を打ち鳴らし始めるといった様を、何度となく見た。また、自分も仮装して仮装行列の仲間に入り、町を練り歩くなどということもあった。気取った厳めしい顔つきによって、自分たちの底なしの無知と虚栄を覆い隠していた古くからの大貴族たちは、ツァーリがイギリスやオランダの船乗りのために大宴会を開き、正教の君主にはあるまじき、どんちゃん騒ぎに打ち興じている様を、恐怖の念をもって眺めていた。彼は素焼きのパイプを口にくわえ、ビールのジョッキを片手に、飲み仲間と調子を合わせ、下卑《げび》た口の利き方でも引けを取ることがなかった。大貴族たちの憤激は、彼が東洋流に家に囲われていた自分たちの妻女に向かって、この祝祭に参加することを命じた時に、頂点に達した。身には君主の濃紫のマントをまといながらも、彼の中にはいつでも革命家が息づいていた。一世紀後に、ナポレオンが毎年、王の襤褸《ぼろぎ》着に新しい布切れで継ぎを当て、自分が町人の出であることを隠そうとしていたのに対して、ピョートル一世はツァーリズムという襤褸着の継ぎ当てを毎日のように投げ捨て、不屈の意志と残酷なテロリズムとを支えとして、自分自身とその偉大な思想とに忠実たらんとしたのである。

ピョートル一世によって為された革命は、ロシアを二つに分断した。一方の側にいたのは地主領内の自由な共同体農民、都市域内の農民や町人である。これは古いロシア——保守的、共同体的、伝統的ロシアであり、厳格な正教徒、あるいは分離派教徒のロシアで、彼らは今なお信心深く、民族固有の衣服を身にまとい、ヨーロッパ文明を何一つとして受け入れようとしなかった。革命が勝利した場合の常として、政府は国民のこの部分を不満分子の溜り場、あるいはほとんど謀反人たちと見なしていた。彼らは法の保護に浴することもなく、法の外に曖昧な状態のままに放置され、国の別の部分の為すがままに任されていた。新しいロシアを構成していたのはピョートル大帝によって創り出された貴族、大貴族の全ての子孫、国家に勤務する全ての役人、そして最後に、軍隊であった。これらの多様な階級が自分たちの風習から自由になる速さには驚くべきものがあった。彼らは過去のものをいかなる抵抗もなく捨て去った。抵抗を試みたのはただ銃兵隊[2]だけであった。これはロシア的性格の柔軟さを証すものではあったが、同時に、ピョートル大帝の革命がいかに時宜に適っていたかをも示してもいる。人びとはモスクワの政治体制のどんよりと淀んだ形式と決別することに喜びを感じていたのである。だが、ロシアの農民の頑固さにはどんな原因があるのだろうか。農民はどこの国でも進取の気象に乏しい部分であるが、加えて言えば、ロシアの共同体農民は、運動や政府の手の届かないところに取り残されていたのである。政治の中央集権化は行政の中央集権化によって支えられていたわけではない。農民の移動を制約するために取られた諸々の措置に苛立ちを覚えたのは、当初は地主の土地に住まわされていた者たち、それも次々と居場所を変える少数の不満分子だけだった。彼らにはピョートルの改革が自分たちの習慣や生き方を侵害するものと思われただけでなく、自分たちの問題に国家が口出しをし、行政的に難癖をつけ、よくは分からないが、何だか自分たちの隷属的状態を一層悪くするようなものとも思われたのである。それ以来、彼らは寡黙で消極的ながら、反抗的態度を取るようになった。こうした態度は今日に至るも続いており、ピョートル一世とその後継者たちが民衆に対して取った諸々の措置を、完全に正当化することになっているのである。農村は改革の外に置かれたままである。古い習慣を拒否してはロシアの農民ではいられなかった。彼は共同体の庇護を離れ、下僕になったり、あるいは国の役人になったりすることもできるし、貴族にだってなれる。しかしその場合、彼は何よりもまず共同体を出なくてはならない。*農村共同体の一員となれるのは農民だけなのだ。そして、そのようなものとして、彼はひげをはやし、民族の衣装を身に着けていなくてはならないのである。このことにはいかなる法も必要がない。ただ習慣を守っていればよいのであり、そのことにこそ、農民の強靭さの所以《ゆえん》があるのだ。このように、農民は政府のやることとは全く無関係のままである。彼らは指図を受けるが、何一つとして認めたことはない。彼らはわれわれの生き様を横目で見ながら、自分たちの習慣に固執し、同時に、われわれの〔宗教的〕無関心とは反対に、われわれよりは宗教的でもある。彼らはい、い、ドイツ文明と馴れ合っている公認の教会に反対する分派なのである。

＊　本書の付論「ロシアの農村共同体について」を参照。

ピョートル一世がひげを剃りドイツ風の衣服を身に着けるように命ずる法令を出したことの重要性は、こうした観点からのみ評価することが出来る。ひげと衣服は三重の軛によって辱められながらもなお、おのが民族性を保持しているロシアと、ヨーロッパ文明を皇帝のデスポチズムと共に受け入れたロシアとを、画然と分けている。

ひげをのばし、ルバシカを着てその下にズボンを履き、政府と何一つとして共通のものを持たない者と、ひげを剃りドイツ風の衣装を着て共同体とは何の縁も持たない者との間には、ただ一つの生きた結び目として兵士がいるばかりだった。政府はこのことを理解していた。そして、兵士が再び農民となることを恐れ、軍隊勤務の期間を法外に長くするという、恐るべき措置を講じた。それは世紀の初めには二十二年であったが、今日でも十五年ないし十七年である。兵卒の子弟を教育するという名目のもとに、彼らを軍隊の身分に固定し、インドのクシャトリアまがいのカーストを創り出したが(3)、これだけではまだ足りないとでもいうように、古年兵には、重い処罰の恐怖の下で、ひげを剃り、二度と民族の衣装を身に着けないことを義務付けた。このように、ロシアの民衆は孤独の中に、あらゆる動きの外に捨て置かれ、ただ、悲しげに未来に望みを託すばかりであった。彼らが滅びてしまわなかったのは、彼らの本性と共同体のおかげであった。しかし、彼らは一度として良い目を見たことはない。政治的な理念が何か彼らに伝わったことはない。しかしながら、ロシアの共同体を必ずや揺り動かさないでは置かない関心事は存在するのである。

農奴解放の問題はヨーロッパでは理解されていなかった。通常考えられているところによれば、ここで問題になっているのは単に人格的な自由だけであり、このような自由はペテルブルクのデスポチズムの下にあっては、いかなる意味も持たないだろう、というのである。だが、実際に問題となっているのは、農民の土地付きの解放ということなのである。政府はこの問題について考えてはいるが、何もしないだろう。貴族階級もこの問題を考えてはいるが、しかし、彼らには何かをする勇気がないだろう。民衆も考えている。彼らは不平を言っているが、疲れ果ててもいる。だが、おそらく、彼らはきっと何かをするだろう(4)。

これまでのところ、知的・政治的動きはすべて貴族階級だけに集中されてきた。例外的に、プガチョフのエピソードと一八一二年の民衆の覚醒があるが、ピョートル大帝以後のロシアの歴史は、ロシアの政府とロシアの貴族階級の歴史でしかない。もし、ロシアの貴族階級のことをイギリスの全能の貴族、あるいは、ドイツの惨めな貴族に似たものと考えるとすれば、今ロシアで生じつつあることを、決して説明できないだろう。

ピョートル一世によって創られた貴族階級は決して閉ざされたカーストではないとい

うことを見逃してはならない。逆に、それは民主的土壌をすべて絶えず自らの中に取り入れることによって、根本から一新されているのだ。士官の身分を得た兵士は世襲貴族になれるし、何年か国家に勤務した官吏や書記生は一代貴族となれる。もし彼が官位を上げてもらえれば、世襲貴族の地位だって得られる。共同体や地主から解放された農民の息子たちは、ギムナジウムを終えた後、貴族になる。受勲した者もアカデミー会員となった画家も貴族になる。つまり、ロシアの貴族階級というのは、村あるいは町の共同体の構成員から抜け出て、官職に就いた者たち全てのことで、その権利や特権は分領公の子孫や大貴族にも、世襲貴族の地位を忝《かたじけな》くした二流所の官吏の子弟にも、同等なのである。

ロシアの貴族階級とは、戦わずして負けた他の階級を圧迫している身分のことである。自らの中に兵士や役人や司祭の子弟から、果ては、数知れぬ程の農民の所有者までを含む階級に何らかの同一性を探そうとしても、それは愚かというものだろう。

しかしながら、ピョートル一世の治世の後に続く時代に目を移そう。彼の死後に国を支配したのは、政治のこれ以上に無いほどの無政府状態であった。ピョートルの鉄の手がなくなってしまうと、新しい秩序は二十年もの間その基盤そのものにおいて動揺し続けた。民族の伝統は途切れ、王統への信頼は失われた。イワン四世の息子を名乗る者を担いで立ち上がったような民衆からすれば、ブラウンシュヴァイク＝ヴォルフェンビュッテルとか、あるいは、ホルシュタイン＝ゴットルプといった、幻のように玉座への階段を滑り落ち、流刑地の雪の中、牢獄の中、あるいは、血潮の中で消えたロマノフ家の人びとの名前など、知る由もなかったのである[5]。

　いかなる一般的関心も持たない高位の貴族たちは、打ち続く宮廷クーデターに近衛の兵士を使った。兵士たちの知っている行動規範はただ一つ——強い者に、しかも力がその手中にある間だけ、付き従うということであった。しかし、この偶像は一旦落ちれば直ぐに誰からも見捨てられた。政治的な頽廃はこの時代大いに進み、想像しうるあらゆることを遥かに越えている。玉座はクレオパトラの寝所に似たものになった。一握りの大官たち、一群れの近衛士官たちは、ピョートル一世の縁者の中から遠いゆかりを頼りに、異国の王子や女子供を堂々と連れてきて帝位に登らせ、彼に仕え、敢えて異を唱えるものには容赦なく鞭を振るった。だが、選ばれた者がその過大な権力を心ゆくまで享受する暇もなく、高官や別の近衛兵たちの新しい波が、彼をその取り巻き共々、深淵へと運び去る。今日の大臣や将軍たちは明日になればもう足に枷《かせ》をはめられ、刑場に引き立てられるか、シベリアに追放される。人生の有為転変はかくも激しく、そのためにビロンをシベリアに流したミニフ元帥が、今度は自分が追放される身となり、ヴォルガの渡しのところでビロンに追いつくというようなことが起こる。河が溢れ、ビロンはここで数日足止めされていたのだ。人びとがその顔に慣れる暇もないほどに、かくも人びとを急激に連れ去る〈地獄の嵐〉(bufera infernale)の中にあって、皮肉にも生き残った者が一人だけいる。それは誰あろう、秘密官房の長官、ベストゥージェフその人であった。この尊敬すべき高官はあらゆる政変にもかかわらず、おのが地位を保ち、かくして、友人や恩人や敵たちのすべてを尋問し、拷問し、そして処刑することになったのである。

こうしたことを知った以上、民衆が世俗の首長に正教会の首長を認めた、などと考えることは出来ないだろう。

政治的陰謀の他に忘れてならないことは、ピョートル一世が持ち込んだ自由奔放な気風のことである。これはピョートル本人にこそ似つかわしかったが、これが宮中に入り込んでくると、やがて卑猥な放埒、下卑た淫蕩に代わってしまったのである。ピョートル一世の娘のエリザヴェータは、まだ大公女であった時代から、夜な夜な近衛の擲弾兵《てきだんへい》〔長身で美男のえり抜きの士官〕たちと夏の庭園をご散歩なさり、彼らを相手にご乱行に及んだものだ。こうした連中との付き合いの中で彼女は強い酒を飲むことを覚え、女帝になってからも毎日酒浸りであった。彼女の頭が酔いから醒めてすっきりしたことが一時としてなかったために、重要な国事ですら滞り、外国の使節たちは公式の謁見の機会を幾週間も待たねばならなかったほどだ。女帝アンナは自分の馬廻り役であったビロンと夫婦同然の生活を送り、彼をクールランドの公爵に取り立てた。摂政のアンナ・ブラウンシュヴァイクは、夏ともなると、灯のともった宮中のバルコニーで愛人と睦んでいた……。

即位と失脚のこのスキャンダラスな叙事詩の只中、末期の東ローマ帝国の宦官よろしく、ロシアの帝位を壟断《ろうだん》していた卑屈な少数の権力者たちが、つかみ合いの争いを演じて来た狂暴なデスポチズムの狂躁の真只中にあって、わずかに一度、政治的光明が見えたことがあった。女帝アンナの即位に条件が示された時がそれである。アンナは宣誓し、あらゆることに同意した。しかし、ビロンの率いるドイツ人の一派に支えられた彼女は、憲章を破棄し、皇帝の力を制限しようとした者たち全員に死罪を申し渡した。一方の、ドイツ人とそれに従う者たちと、他方の、玉座を囲むロシア人の重臣たちとの間には、長年にわたる敵対関係があった。ドイツ人たちへの憎しみがエリザヴェータの即位を容易にした。この無能で残忍な女は、民族派に媚びることによって人気を得たのである。

だが、これらの党派の意義を誤解してはならない。ドイツ派が啓蒙を体現し、他方、ロシア派が蒙昧を体現していたわけではない。後者が真面目に望んでいたのは、決して古い秩序に立ち戻ることではなかったのである。だが、ピョートル二世の時代〔一七二七―三〇〕のドルゴルーキー公の試みはいかなる実も結ばなかった。他方、ドイツ人たちもまた、進歩を体現していたというわけでない。彼らはこの国のことを知ろうともせず、野蛮な国と見なして軽蔑し、この国といかなる関わりも持とうとしなかったのだ。彼らはこれほどまでに厚かましく尊大ではあったが、皇帝権力に対しては卑屈この上ない走《そう》狗《く》だったのである。君主の愛顧を維持し続けること以外のいかなる目的を持たない彼らは、皇帝その人に仕えたのであって、国に仕えたのではなかった。そればかりか、彼らは物事の中にロシア人にとっては不快なやり方、官僚主義のペダンチズム、立ち居振る舞い、規律といった、わが国の風習には全くそぐわないものを持ち込んだのであった。

スラヴ人とドイツ人の敵対感情は悲しいが、しかし、周知の事実である。どんな確執も両者の憎悪の深さを示していた。ドイツ人支配の性格そのものが、西スラヴ人とポーランド人の間にこの憎悪を広げるのを少なからず助けてきたが、ロシア人には彼らの抑圧を耐えなくてはならない謂《いわ》れはなかった。バルト海沿岸地方のロシアの領土は〔ドイツの〕チュートン騎士団によって侵略されはしたが、そこに住んでいたのはフィンランド人であって、ロシア人ではなかったのである。同じスラヴ人でもロシア人にはドイツ人を憎む心情は最も少ないとはいえ、それでも両者の間にある自然の嫌悪感を消し去ることはできない。この感情の根底にあるのは、あらゆる些細な事に現れる性格の違いである。

政府がドイツ人に与えて来た恩恵は、ピョートル大帝以後ともなると、ロシア人には我慢のならない類のものとなった。ロシアに来たのがミニフやオステルマンの輩だけであったならまだしも、ネヴァ河の畔《ほとり》には、単一にして不可分のドイツを構成する三十六、あるいは、その数いくつとも知れぬほど多くの公国の出身者たちが、雲霞《うんか》のごとく蝟集《いしゅう》したのである。

ロシアの政府は、今日に至るも、リヴォニアやエストニアやクールランドの貴族以上に忠実な臣下をもっていない。何時のことであったか、バルト沿岸地域では著名なある人がリガでわれわれに言ったものだ。「私たちはロシア人が嫌いです。しかし、帝国広しと言えど、私たち以上に皇帝一家に忠実な臣下はおりません。」政府もこの献身を無視できず、かくて内閣や中央の官庁はドイツ人で溢れ返ることになるのである。これは依怙《えこ》贔屓《ひいき》でも不公平でもない。ロシアの政府はドイツ人士官や役人の中に、まさに政府が必要とするものを見出しているのである。すなわち、機械のごとき正確さと無感情、聾唖者のごとき寡黙さ、どんな困難をも耐え忍ぶ禁欲主義、仕事における疲れを知らぬ粘り強さ、と言ったものがそれである。さらに付け加えるならば、周知の廉直さ（ロシア人にはめったに見られない）と教育がある。もっとも「教育」と言っても、それは任務を果たすのに必要とされる程度にほどほどの教育という意味であって、デスポチズムの非の打ちどころのない清廉潔白な道具であることなど、全然自慢できることではないということを理解できるほどの教育ではないということだが。そしてさらに言えば、自分たちが支配している人びとの運命への完全この上ない無関心、民衆へのこれ以上にないほどの軽蔑、民族的性格についての完全無欠の無知――こうしたものを挙げれば、民衆が何故ドイツ人を憎むか、政府が何故彼らをかくも愛しているか、理解できるだろう。

内閣や官房の話から仕事場の話に移れば、そこでもわれわれは対立関係に出会う。ロシアの職工はロシアの主人の下にあっては、ほとんど家族の一員も同然である。彼らは習慣や道徳観、それに宗教を同じくしている。彼らは通常同じテーブルで食事をとり、互いに極めてよく理解し合っている。時に主人が職工を殴ることがあっても、こちらは正教徒としての過度の謙譲の念のゆえに、その鉄拳を甘受する。時には職工の方がやり返すこともあるが、いずれの側も決して警察沙汰にはしない。日曜になると主人も職工も同じように祝い、共に酔っぱらって家に帰って行く。翌日、主人は職工がまともに働けない状態にあると見て取ると、彼に数時間怠けるのを許してやる。というのは、主人は必要とあれば彼が夜でも働いてくれるのを知っているからだ。主人はよく職工に前貸しするが、その代わり、職工の方は、主人の懐具合が悪いと知れば、給与の支払いを数か月でも待っている。

ところが、主人がドイツ人となるとロシア人の職工には勝手が違ってくる。ドイツ人は自分を主人というよりはむしろ上役と見なしているからだ。性格的に規律を重んじ、自分の国の習慣を持ち続けているドイツ人は、ロシア人の職工と主人との柔軟で大雑把な関係を変え、いささかなりとも例外を認めない厳密に規定された法的な関係にしてしまうのだ。絶えざる要求、念入りな厳格さ、冷たいデスポチズムなどは、主人が決して職工と同等の場に立とうとしないだけに、職工にとっては余計に侮辱的に思われるのである。ドイツ人の温和な性格やウォッカよりもビールを好む嗜好すら、彼らによってロシアの職工に刷り込まれた嫌悪の念をいよいよ強くするばかりだ。ロシアの職工はコツコツとやるよりさっさとやってしまう方が好きだし、真面目に勉強するより天与の能力に頼ろうとする。彼は沢山のことを一気に仕上げることができるが、仕事に根気がなく、ドイツ人の単調で杓子定規な規律に順応することができない。ドイツ人の主人は職工が一時間遅れたり、一時間早く帰ったりすることを我慢できない。毎週月曜日の頭痛や土曜日の風呂屋など、彼の目から見れば正当な理由とは見えないのだ。彼はどんな欠勤も記帳しておいて、その分を給金から差っ引く。おそらく、それは極めて正当なやり方なのだろうが、ロシアの職工は彼の中に途轍もない搾取者を見ることになり、かくして諍《いさか》いや揉め事の種が尽きないということになるのである。頭にきた主人は警察か、（職工が農奴なら）地主のところに駆け込む。そして、彼にその身分からして考え得る、ありとあらゆる災厄を背負い込ませることになるのである。これがロシア人の主人となると、彼はよほど重大な理由がない限り、クヴァリターリヌィ（地区の警察署）にも地主のところにも駆け込まない。というのも、警察や貴族というものがひげを生やした主人にも、ひげを剃っていない職工にも、共に敵だからだ。

さて、話を本題に戻そう。

女帝エリザヴェータは自分の跡継ぎをホルシュタインから呼び寄せ、これにアンハルト＝ツェルプストの王女を娶せた。皆は、善良だが単純なピョートル三世があまりにドイツ人であることを知った。女房の方もこれに劣らずロシア的ではなかったが、亭主を帝位から引きずりおろすと投獄し、そこで毒殺するように命じた。〔アレクセイ・〕オルローフ伯爵は毒の効き目が現れるのを待ちきれずに、絞め殺した。

エカテリーナ二世の長い治世はペテルブルクの政府をしっかりと安定させた。三十五年にわたる中断の後から見ると、それはピョートル一世の治世を継承するものであるかのように見えたものだ。エカテリーナは皇帝の宮中に、これまでにはなかったある種の優雅さ、優美さ、上品な趣味をもたらしたが、そのことは上流社会に高尚な影響を与えることになった。

エカテリーナ二世は民衆のことを知らず、彼らにただ災厄ばかりを与えた。彼女にとって真の国民とは貴族階級であった。そして、この階層のことは極めてよく知っていた。彼女は自分の拠って立つ基盤を見事に理解していたのだ。彼女は地方の司法と行政のあらゆる職責を、彼らの選挙に任せることによってその地位を高めた。彼女は貴族たちの団体と議会を設立し、これらに貴族の利害に関わることを審議させ、各地方の必要に関わる経費の使い方を管理させたのであった。

彼女はブルジョア〔町人〕と農民に選挙権を与えた。しかし、これは現実的な意味というよりは、むしろ、原則的な意味しか持っていなかった。しかも、これらの譲歩も、無意味な浪費癖のゆえに農奴制を強化してしまうという、彼女が農民に対して行った犯罪を前にした時、色褪せたものとなる。彼女は寵臣や愛人に人の住む広大な土地を分け与え、自分の大官たちのために修道院領を没収したばかりか、これまで農奴制を知らなかった小ロシア〔ウクライナ〕の農民を彼らに与えてしまったのである。フリードリッヒ二世やヨーゼフ二世にも似た哲学者でもあった彼女が、犯罪的なポーランド分割に加わることができたということはよく分かる。この事実はいかようにも正当化できないとしても、国家的利害とか支配地域の拡大という願望によっては説明はできる。しかし、人の住む土地を国家から切り離し、自由な農耕の民を農奴の身分に貶め、しかも、彼らの新しい所有者にいかなる条件も課そうとしないなど、まさに狂気の沙汰だ。

捕まえた貴族全員の首を吊るしたプガチョフを四つの州の農民たちがいかに熱狂的に迎えたか〔プガチョフの乱(一七七三―七五)〕、女帝エカテリーナはきっと忘れることはなかっただろう。また、モスクワの民衆が至聖所の陰で大主教を殺害し、正装のままの遺体を街から街へと引き回したという出来事も〔一七七一年、「チフス暴動」の時のこと〕、彼女の記憶の中ではもっと生々しかったことだろう。他方で、貴族階級が彼女にいかに感謝し、彼女への忠誠振りをいかに誇りとしているかを見るにつけ、彼女は自らの利害を彼らのそれと結びつけないわけには行かなかったのである。

奇妙なことだが、ロマノフ王朝の君主の内、民衆のために何かをした者は誰一人としていなかった。民衆は彼らのことを、自分たちの不幸の数と、農奴制や徴兵やあらゆる租税の強化と、屯田兵制度(6)と、警察支配の恐ろしさと、戦争とによって記憶している。この戦争たるや、難攻不落の山の中で二十五年もの間、血を夥《おびただ》しく流しながら、何の意味もなく戦われているのである〔カフカースでの戦争(一八二〇―五〇)〕。

文明は貴族階級の上層部には極めて急速に普及した。しかし、それは隅から隅まで異国風であり、その中で唯一民族的特徴と言えるのは、フランス流の慇懃さと奇妙に溶け合った、ある種の粗暴さであった。宮中で使われていたのはフランス語だけで、万事ヴェルサイユが模倣された。範を示したのは女帝であった。彼女はヴォルテールと文通し、ディドロと幾度となく夜会を共にし、モンテスキューの著作に注釈を施した。百科全書派の思想がペテルブルクの社交界に沁み込んできた。われわれにも名の知られた当時の老人は、ほとんどすべてフリーメーソンでなければ、ヴォルテリアンか唯物論者であった。この哲学がロシアにいとも簡単に接種されたのは、現実的でもありアイロニカルでもあるという、ロシア人の知性に固有な特質によるところが大きい。文明がロシアで侵略した領域を教会は失った。ギリシア正教がスラヴ人の魂を支配するのは、無知無学な者たちを相手にする場合だけである。光がロシアに浸透するにつれて信仰は光を失い、表面的な崇敬の念は完全な無関心に席を譲る。ロシア人の良識と実際的な知性は、明晰な思想と神秘主義とが共存することを拒む。ロシア人は凝り固まったように長く信念を持ち続けることが出来るが、しかし、それは宗教については決して深く考えないという条件の下においてだけだ。さりとて、ロシア人は合理主義者にもなれない。というのは、ロシア人にとって宗教から解放されるということは、とりもなおさず、無学から解放されるという程度のことだからだ。フリーメーソンによく見られる神秘的な傾向は、現実には、粗野な快楽主義が急速に広がるのを妨げる手段でしかなかった。アレクサンドル帝の時代の神秘主義について言えば、これはフリーメーソンとドイツの影響との所産だが、現実的な基盤を持っていたわけではなく、ある者にとっては、単に流行を追っただけのことであり、またある者には、ただ気持ちが高ぶっただけのことである。一八二五年以降、神秘主義については考えることも忘れられた。ニコライ帝の時代に警察の助けを借りて宗教的規律が強化されはしたが、だからと言って、文明化された階級に敬神の念が強くなったというわけではない。

十八世紀の哲学思想の影響はペテルブルクには一定程度有害であった。フランスでは百科全書派が古い偏見から人間を解放することによって、人間により高い道徳的覚醒をもたらし、人間を革命家にした。しかし、わが国では同じヴォルテールの哲学は半開の本性を支えてきた最後の枷を破砕はしたが、古い信仰や伝統的な道徳的義務の観念を、いかなるものによっても置き換えなかった。この哲学はロシア人を弁証法とアイロニーのあらゆる道具で武装したが、この道具はロシア人の目には君主への自分の隷従と、自分への農奴農民の隷従とを正当化することが出来ただけであった。文明への新たな改宗者たちは感覚的愉楽を貪るように求めた。彼らは快楽主義への呼びかけは見事に理解したが、人びとを偉大な再生へと呼びかけた厳かな警鐘は、彼らの魂にまでは届かなかったのである。

貴族階級と民衆との間には一代貴族からなる官吏の群れがいた。それはいかなる人間的な尊厳の意識も持たない、腐り切った階級である……。盗人、暴君、密告者、酔っ払い、賭博者――こうした連中は帝国の中でも最も卑屈な人間だったし、それは今なお変わらない。この階級はピョートル一世の時代の急激な裁判改革によって生み出されたのである。

口頭での訴訟手続きがこの時廃止され、尋問的訴訟手続きに取って代わられた。ドイツの官庁に倣って導入された手続きの煩瑣な形式は裁判を複雑にし、三百代言の輩に恐ろしい武器を与えることになった。先例から全く自由なチノーヴニク〔役人、官吏〕たちは法律を自己流に捻じ曲げ、これを際限のない秘術にしてしまったのである。この連中はこの世で最も強力な屁理屈屋だ。彼らの頭の中にあるのは、ただ自分の個人的な責任だけである。責任を負わなくても済むと分かれば、彼らは何でもやる。農民もまた役人と同じように法律を全く信用していないが、農民が恐怖の故に法を尊重するのに対して、役人はこれを稼ぎ処と見なしているのである。法の不可侵性、権利の不変性、正義の不易性の観念などといった言葉は、彼らの使う言葉には無縁な、単なる用語に過ぎない。

いかなる皇帝の権力といえども、物陰に身を潜めていて、隙あらば農民たちを破滅的な裁判沙汰に引きずり込もうと待ち構えている、伏兵のようなこれらの役所の蝮《まむし》どもの悪行を、抑制したり根絶したりすることはできないのである。

以上、エカテリーナ二世時代の新しいヨーロッパ的社会について大まかなイメージを持ったところで、今度は、新たに創られた国における文学の最初の数歩に目を向けよう。ビザンツの教会はあらゆる世俗文化を恐れていた。それが知っている唯一の学問は神学論だけであった。教会は古代の肉感的な美を厭《いと》い、約束事だらけの絵画(聖像画《イコン》)を考案した。教会は生き生きとした独立的なあらゆる思想を嫌悪し、ただ従順な信仰のみを求めた。ロシアには宣教師はいなかった。遠い昔、説教で名の知られた唯一の高僧(7)は、まさにその説教の故に迫害を蒙った。東方の教会がその忠良なる会衆に与えた教育がいかなるものであったかを理解するには、小アジアのキリスト教徒の土民のことを知るだけで十分だろう。十世紀この方、ロシアで文明を主導してきたのは、この教会に他ならない。この教会にとって分領公の絶え間ない争いやモンゴルの軛は、極めて好都合だったのである。

ギリシア・ロシア教会は南スラヴの様々な方言から成る独特の言語を保持してきたが、

常用的な言語はいまだ確立していなかった。年代記や外交、あるいは、民政に関わる法令は教会の言語と民衆の言語との中間的な様相をもった言語で書かれていたが、多かれ少なかれ、書き手の社会的地位により、どちらかに近いものとなっていた。十八世紀まで文学にはいかなる動きもなかった。幾つかの年代記や十二世紀の叙事詩(『イーゴリ軍記』)、かなりの数に上るお伽噺や民謡(それも多くは口承の)——これらが十世紀の間、文学の分野にもたらされたものの全てであった。

だが、こうした貧弱さにもかかわらず、聖書の言語がネストルの『年代記』や、さらには右に触れた叙事詩と同様、優れた美しさによって際立っているばかりか、これが長きにわたり使われ、文学が発達するために幾世紀にもわたり先駆的役割を果たしてきたという、明白な痕跡を残していることを指摘するのは重要である。

聖書の翻訳者、キュリロスとメトディオスは言語を整え、アルファベットを定め、ギリシア語の規則に倣って文法の形式を作ったが、彼らはマケドニアやテッサリアに住んでいたスラヴ人たちによって創られたと思われる、豊かで洗練された言語を知っていた。イギリス人が聖書を、例えば、カフラリア人(現在の南アフリカ連邦南部の住人)のような未開の言葉に訳す時に、どれほどの苦労に逢着しているかを知らねばならない。彼らには語彙が足りないので、イメージ、観念、独特の言い回し等、万事、概念の似通った言葉によって言い換えて翻訳しなくてはならないのだ。その点、スラヴ語の翻訳は簡潔さ、雄渾さ、正確さという点で、ルターの翻訳に比肩しうるのである。

ルーシの民の心の中で発酵していた詩的原理はすべて、ことのほか美しい旋律の中に出口を見出してきた。スラヴの民は優れて歌う民である。末期東ローマ帝国の年代記作者たちの語るところによれば、スラヴ人が侵入してきたある時のこと、ギリシア人は逆に彼らに不意打ちを喰らわせたことがある――というのも、いつものように歌っていた歩哨たちが、自分の歌う歌にあやされて、一人また一人と寝入ってしまったからだという。ロシアの農民は歌の中に自分たちの苦しみの唯一の捌《は》け口《ぐち》を見出してきた。彼らはいつでも歌う。野良で歌う、馬を御しながら歌う、家に帰り着けば一息ついて歌う。彼らの歌は他のスラヴ人の歌とは違う。小ロシア人の歌とも異なり、深い悲哀に溢れている。その歌詞は、彼らの不幸と同じくらい際限のない平原や、樅の鬱蒼たる森や、果てしない草原の中で、呼びかわす友の声に出会うこともないままに消えて行く嘆きである。この悲哀は何か理想的なものを目指す熱い飛翔ではない。そこにはロマン的なものは何もないし、ドイツの歌のような病的で修道僧的な夢想に似たものもない。*それは不幸に疲れ果てた人間の悲嘆であり、運命への、「継母の様な運命、苦い定め」への非難である。それ以外の形ではいかにしても表すことの出来ない、押しひしがれた願望である。

それは亭主に虐《いじ》められた女の歌であり、父に、村の古老に虐《しいた》げられた夫の、そして行き着くところ、地主あるいはツァーリに虐げられた全ての者の歌である。それは熱い、不幸な、しかし、地上的で現実的な深い愛の歌なのである。**

これらの哀愁を帯びた歌に交じって、突如として、バッカス神の酒宴さながらの騒がしさが聞こえてくる。それは抑えがたい陽気さであり、熱烈な狂気じみた叫びである。その言葉には意味があるわけではないが、それらは人を酔わせ、演劇的で優雅な輪舞などとは似たところの全くない、狂乱的な踊りに引き込む。

＊　同じように、民話の英雄、イリヤ・ムーロメッツやイワン王子は中世の英雄たちよりもホメロスの英雄たちに遥かに似ているということを指摘しなくてはならない。「勇者」(ボガトゥイリ)とはアキレスと同じように、騎士ではないのである。

＊＊　一八四六年にニューヨークで出版されたスラヴの歌謡についてのタルヴィ女史(Mme Talvi)の優れた研究〔*Historical view of the Slavic languages*〕を参照されたい。

ロシア人はずっと悲哀か乱痴気、隷従かアナーキーの中で、屋根も竈《かまど》も持たない放浪者のように生きて来たか、あるいは、共同体に飲み込まれてきた。家族生活に埋没するか、ナイフを腰に森の中を気ままにうろついてきたのである。いずれの場合も、歌は同じ嘆き、同じ絶望の表現であった。それらの歌の中には、持って生まれた力を発揮する場所はない、社会の仕組みによって狭められたこの生活の中で、自分らしく生きることはできないと訴える声が、低く響いているのである。

ロシアの歌には独特の範疇がある。盗賊の歌というのがそれだが、ここには呻《うめ》くような悲歌はない。あるのは大胆な雄叫びである。そこには、とうとう自由になったぞという思いを抱いた人間の激しい喜びがあり、威嚇があり、憤りがあり、挑戦がある。「待っていろよ、今行ってやるからな。てめえらの酒を飲んで、てめえらの女房を可愛がって、金持ちから奪ってやるからな。」……「野良で働くなんざぁ、もうまっぴらだ。土地を耕したからって、俺が何を貰えるんだ。俺は文無しよ。皆の鼻つまみもんさ。いや、いや、暗い夜と切れるナイフを友として、深い森に仲間を集め、旦那を殺し、街道で商人を襲ってやるさ。少なくとも、みんな俺を敬うだろうさ。旅先で出会う若いもんも、家の戸口に座っている爺さんも、俺に頭を下げるだろうて。」

修道院やコサックや盗賊の一味に入ることは、ロシアでは自由を得る唯一の手立てだった。民衆は盗賊を腕白者とか無軌道者などと呼んで丁重に遇した。その昔、ノヴゴロドだけが武装した集団を擁しており、こうした集団は「幸運を探しに冒険の旅に出て」、ヴォルガ河やオカ川を下り、カマ川の沿岸にまで達したものだ。イワン四世に迫害されたコサックの盗賊集団は、汚名を雪《すす》ぐべく、エルマークを頭目としてシベリアを征服した。流浪人や強盗は〔「動乱時代」と呼ばれる〕ツァーリの空位期から十七世紀の初頭にかけて、その数を著しく増大させた。ステパン・ラージンの想い出は民衆が彼を讃えて歌った民謡の中に沢山残っている。略奪という習慣はプガチョフの時代〔十八世紀後半〕まで生き延びた。それがかくも広く行われるようになったのは、農奴化に抗して立ち上がった農民の声なき闘いに負うているというのは、大いにありうることだ。周知のように、民謡の中では盗賊に気高い役割が振り当てられており、あらゆる共感は彼の犠牲者にではなく、彼に向けられている。彼の武勇と武勲は密かな喜びをもって称賛されている。民衆の歌い手は、自分の大きな敵がこの盗賊ではないことを知っていたかのようである。

別の種類の、しかし、少なからず重要な知的運動は、分離派教徒の間に行われた宗教思想の展開である。庶民の興味を喚起し、彼らの中に生き生きとした信仰、宗教への真の関心を目覚めさせるという、ギリシア正教が一度として為しえなかったことに成功したのは、この分派の人びとであった。彼らはいかなる無関心とも無縁である。彼らの共同体は正教の農民のそれよりはずっと強固である。というのも、そこでは集団意識がことのほか強かったからだ。分派の中には愚にもつかない教義を持ったものもあるが、しかし、信徒は品行のきちんとした、エネルギーに溢れた人たちである。また、ヘレンフーテル[8]やアナバプチスト[9]を思わせる神秘的なキリスト教が混入した、最も極端な共産主義的教えを宣伝する、極めて広範に行き渡った別の分派もある。幾千もの分派が政府に迫害されてリヴォニアやトルコに逃れた。そこには彼らの子孫が定住して丸ごと一つの町を作ったところが幾つもある。概して、諸分派はピョートル一世の改革の最も激しい敵対者である。彼らにとってピョートルとその後裔はアンチ・キリストである。これに対して、政府は彼らを謀反人と見なし、迫害する。分離派の意志は強固である。彼らに対する迫害が大きくなればなるほど、彼らは自分たちの布教を強化する。彼らには国家の隅々に同心する者がおり、地下出版すら持っている。どこかのスキト（分離派の共同体）から民衆運動が始まる可能性は大いにある。* やがてその運動——その性格は必ずや、民族的な、共産主義的なものとなるだろう——は幾つもの州を支配下に置き、ヨーロッパの革命思想に淵源を持つ別の運動と合体するかもしれない。あるいは、これらの二つの運動は、その類縁性を共に認識することなく、敵対しあうことによりツァーリとその一味を大いに喜ばすことになるかもしれない。

* プガチョフとその仲間たちは旧教徒（「分離派教徒」「古儀式派」とも言う）に属していた。

ヨーロッパ化されたロシア文学がある程度の意義を持つようになるのは、やっとエカテリーナ二世の時代になってからである。彼女の治世以前にわれわれが見るのは、予備的な活動である。例えば、言語が新しい在り方に慣れ親しみ、ドイツ語やラテン語に溢れ返り、模倣の精神があらゆることを捉え、そのあまり、わが国の韻を踏んだ響きの良い言語の中に音節的作詞法を導入しようとするようなことがあった。こうした行き過ぎた時代を経て、言語はうず高く溜った外国語の集積を我がものとし、国民の天性にふさわしい、より自然なものになって行く。このようにして出来上がった言語を見事に習得した最初のロシア人は、ロモノーソフであった。この高名な学者は、その百科全書的な博識でも、優れた理解力でも、ロシア人の典型であった。彼はロシア語でも、ドイツ語でも、ラテン語でも書いた。彼は鉱山技師であり、化学者であり、詩人であり、言語学者であり、物理学者であり、天文学者であり、そしてまた、歴史家でもあった。彼は電気に関する気象学の学位論文を書くと同時に、他方では、史料編纂者ミュラーに答えて、ルーシへのヴァリャーグの到来について論文を書いたが、こうしたことは彼が荘重な頌《しょう》詩《し》や寓意詩を書き上げる妨げとはならなかった。何でも吸収しようという熄《や》むことのない願望に溢れた彼の明晰な知性は、一つの対象に止まることなく、これをいとも易々と我がものとすると、早々に別の対象へと移って行くのであった。

政府の庇護の下で花を開き始めていた文明ではあったが、それでもなお、それはピョートル大帝への崇敬や、歴代の君主へのおもねりなど、玉座への忖度から自由ではなかった。政府は文明の先頭に立って歩んでいたのである。文学と政府との親和力はエカテリーナ二世の時代にはいよいよ明確なものになった。彼女には自分専属の詩人がいる。しかも才能ある詩人である。彼は熱狂的な愛に満たされて、彼女に書簡詩を、頌詩を、賛歌を、そして風刺詩を書く。彼は彼女に跪《ひざまず》き、彼女にひれ伏す。しかし、彼はさもしくも、卑しくもない。デルジャーヴィンはエカテリーナを恐れてはいない。彼は彼女をからかって《Felicie〔フェリーツァ〕》とか《キルギス・カイザクスの女帝》などと呼ぶ(10)。時として、彼の詩神は奴隷がその主人を褒め称えて歌うには余り似つかわしくない音調を見つける。

しかしながら、このような迎合的な詩は、その誠実さやその表現力豊かな言語にもかかわらず、ただ聖職者階級や学者といった狭い範囲の人びとを楽しませ、魅了しただけであった。上流階級はロシア語で書かれたものは何一つとして読まず、下層階級は、そもそも読まなかった。最初にロシア語で書かれた著作で大変な人気を博したのは、女帝に捧げられた書簡詩でもなければ、スヴォーロフの非人間的な破壊や栄えある虐殺に霊感を得て書かれた頌詩でもなく、コメディー、それも田舎貴族を揶揄する辛辣な風刺だった〔フォンヴィージンの『旅団長』のこと〕。デルジャーヴィンが玉座を取り巻く光背を通してただ一人、女帝だけを見ていたその時に、フォンヴィージンの風刺的知性は物事の裏側を見ていた。彼はこの半開な社会とその文明化なるもののいかがわしさを手厳しく笑った。この作家の精神の中で初めて嘲弄や憤激といった、デモニッシュな原理が表に現れた。爾来、この原理はロシア文学の全体に浸透し、その支配的精神となることになった。著者自身をも含めて、何者も容赦しないこのアイロニーとこの鞭打の中に、われわれはある種の復讐の悦び、意地の悪い満足を見出す。この笑いによって、われわれは自分たちと両生類――おのれの野蛮な状態を保持するわけにもゆかず、さりとて、文明を我が物とすることもできぬままに、ロシア社会の官製の表層に浮遊するばかりのあの両生類――との結びつきを断とうとする。弛《たゆ》みなきプロテストはこの変態を間断なく追及してきた。それは熱く、途絶えることはなかったのである。

社会の病理学的分析は現代文学の支配的な性格となっている。それは目の前にある秩序の新たな否定であった。そして、この否定は、君主の意志に反して目覚めた意識の深層から迸《ほとばし》り出《で》たものであり、これらの変態と一緒くたにされかねないことを恐れる、あらゆる世代の恐怖の叫びだったのである。

十八世紀のロシア文学は、本質的に、少数の知識人たちの高踏的な趣味に過ぎず、社会にいかなる影響も及ぼさなかった。文学がかかる影響力を本格的に持つようになるのは、フリーメーソンをもって嚆矢とする。これは文学的ディレッタンチズムに瞬く間に別の性格を与えることになった。フリーメーソンはエカテリーナ二世の治世の終わりごろに、ロシアで広汎に普及した。その指導者、ノヴィコーフは、闇の中に止まることを余儀なくされた舞台の上で奇跡を為す、歴史上の偉大な人物の一人であり、隠れた思想の案内人の一人である。その思想のもつ偉大な意義はただ、それらが勝利した時になって初めて世に知られることになる。そんなノヴィコーフは職業的には印刷業者であった。彼は多くの都市に書店や学校を開いた。ロシアで初めて雑誌を刊行したのも彼であった〔《雄蜂〔寄食者という意味もある〕》(一七六九—一七七〇)〕。彼は翻訳を依頼し、これらを自前で刊行した。『法の精神』や『エミール』や『百科全書』の様々な項目などの翻訳は、彼の時代に、まさに、このような形で世に現れたのである。現代の検閲なら、これらの作品を刊行することなど、当然、許さないだろう。こうした企画においてノヴィコーフは、自分がメーソンのロッジの大親方〔グラン・メートル〕だったこともあり、この組織に大いに助けられた。道徳的関心の名のもとに、ロプーヒン公のような帝国の強力な高官から、貧しい学校の先生や田舎の医者に至る、知的に成熟した者たちの全てを結びつけて、一つの友愛的な家族を作り上げようというこの果敢なる思想の、何たる壮大な事業であったことか。

女帝エカテリーナはノヴィコーフをペテルブルクの要塞に幽閉するように命じ、後に流刑に処した。こうしたことが起こったのは、エカテリーナの性格が変質し始めたその治世の末期のことだった。ポチョムキンと共に寵愛の詩情も華やかで洗練された愉楽も消え、それらは粗野な淫蕩に取って代わられる。エルミタージュの機知に溢れた夜会は〔佞臣《ねいしん》〕ゾーリチの輩の下卑た狂宴に席を譲る。折から、フランス革命がその頂点に達しようとしていた。革命の雷鳴がドナウの河畔でも、ネヴァの河畔でも、君主たちの眠りを破った。老齢に達するにつれて、エカテリーナはいよいよ不安になり、疑い深くなった。その疑いは自分の息子にすら向けられた。彼女は自分の意志に反して新しい力を付けつつあったフリーメーソンを疑いの目で見た。光明会〔中世ドイツに興った神秘教派〕やマルチネス派〔フリーメーソンの一派〕も革命に加担しているなどという話も盛んに語られるようになったが、そうした話の内、大公パーヴェルがノヴィコーフの手引きでフリーメーソンの結社に加わったという噂が、彼女の耳に達した。十年前ならば、エカテリーナはノヴィコーフを呼びよせて自ら問い、彼が王朝に仇する陰謀に加担などしていないことを知ったであろうが、今や彼女は彼を厳しく処断する方を取り、彼と語らおうとはしなかったのである。

倦むことを知らないこの人は、自分が転落する前に、この時代の最後の偉大な著作家、カラムジーンの成長を助けた。文学に対するカラムジーンの影響は、社会に対するエカテリーナの影響に匹敵する。彼は文学をヒューマンなものにしたのである。そこには哲学的道徳的観点や、いつも他人の不幸に注がれる涙や、力のあらゆる濫用への嫌悪感、文明への大きな愛と、(幾分修辞的ではあった)愛国主義など——どこかサン・レアル〔十七世紀フランスの歴史家〕やフロリアン〔十八世紀フランスの作家〕やアンシヨン〔十七世紀フランスの歴史家〕に通ずるところがあった。卑小な虚栄や粗雑な物質主義に取り囲まれたこの若い文学者には、あらゆる点で、統一性や指導的思想や、何らかの深い確信に欠けるところがありはしたが、どこか独立的で純粋なものも感じられた。カラムジーンは女性たちが好んで読んだ最初のロシアの作家であった。

最初の作家たちが上流社会の人たちであったということは、ロシア文学に大きな利点を与えている。彼らが文学に導き入れたのは、上流社会に固有なある種の優雅さ、抑制された言葉遣い、高潔な心象など、教養ある人びとの会話を特徴付けるものであった。時としてドイツ文学で出会う粗雑さ、俗悪さといったものに、ロシアの書物が染まることは一度としてなかった。

カラムジーンが後世のために打ち立てた記念碑とも言うべき偉大な著作は、十二巻からなる『ロシア国史』〔一八一六—一八二九〕である。その半生をかけて心血を注いだ彼の歴史は――これを論ずることは本書の構想に含まれてはいないが――知識人たちをして自国の歴史に目を向けさせる上で、極めて大きな役割を果たした。カラムジーン以前にロシア史を支配していた混沌を整理し、対象について明確にして正確な記述を与えることに要した彼の労苦を思えば、彼の偉業に触れないでいることがいかに不公平であるか、理解できるだろう。

だが、カラムジーンには、フォンヴィージンを経てクルイローフに、さらには、自分の刎頸《ふんけい》の友、ドミートリエフにすら伝えられていたサルカスム〔嘲笑〕の要素に欠けていた。心優しく善意に満ちたカラムジーンには、どこかドイツ的なところがあった。その感傷的性格の故にカラムジーンが、後に詩人ジュコーフスキーを見舞ったような、帝政の罠に落ちることになるであろうとは、早くから予見しうるところであった。

ロシアの歴史がカラムジーンをアレクサンドルに近付けた。彼は〔自著の中の〕「不遜のページ」と言われる、イワン雷帝の暴虐を詰《なじ》り、ノヴゴロドの共和制の墓前に不滅花[11]を供えた個所を、アレクサンドルに読んで聞かせた。アレクサンドルはこれを注意深く、感動しながら聞き、歴史学者の手をそっと握った。アレクサンドルは余りにも立派な教育を受けていたので、敵たちを鋸で二つに挽き裂くようなことを幾度となく命じたイワンを、到底容認することはできなかったし、ノヴゴロドの運命に溜息をつかずにはいられなかったのだ(もっとも、彼はこの時アラクチェーエフ伯爵がすでにこの地に屯田兵制度を導入していたことを知ってはいたのだが)。カラムジーンの方はもっと大きな感動に包まれ、皇帝の魅力的な善良さの虜となった。だが、「不遜のページ」や怒りや嘆きはカラムジーンをどこへ導いたか。彼はロシア史から何を学んだか。彼は――自著のまえがきで、過去の歴史は未来への教訓であると書いたあの彼は――己が考究の結果、いかなる結論に行き着いたか。彼がそこに汲み取ったのは、「野蛮な国民は自由と独立を愛し、文明化された国民は秩序と安寧を愛する」という思想だけであった。彼が得た結論はただ一つ――「絶対主義の理念の実現」であった。彼はその発展の過程をモノマーフからロマノフ家に至る歴史に辿ることによって、喜びに満たされているのである。偉大なる専制という理念は、偉大なる隷属という理念に他ならない。六千万もの民衆がただ絶対的な奴隷状態だけを実現するために存在してきたなどと、果たして想像することができるだろうか。

カラムジーンは生涯の終わりまで、ニコライの恩顧を忝くした。

読者も見てのように、われわれが概観してきたのは、文明とロシア文学の青春期に過ぎない。学問はいまだ天蓋の下に花を咲かせており、詩人たちは、ツァーリの奴隷ではなかったとはいいえ、彼らを褒め称えて歌っていた。革命思想に出会うことはほとんどなかった。ピョートルの改革が相変わらず偉大な革命思想であった。だが、権力と思想、皇帝の勅令と人間的な言葉、専制と文明が、もはや行を共にすることはできなかった。両者が十八世紀においてなお手を携えていたとは、むしろ驚くべきことだ。しかし、歴代ツァーリの後継者なる君主、アレクセイの継嗣、そして、つまるところ、白や赤、大や小なる全ルーシ(12)の専制者たるピョートル一世が、時代に先駆けて現れたジャコバン派にして革命家・テロリストでもあったとすれば、他のありようが、果たして、ありえただろうか。

訳注

(1) たとえば、フランスの侯爵キュスティーヌはその著作『一八三九年のロシア』の中で、ロシア皇帝の権威の根拠をその宗教性に認めている。

(2) 十六—十七世紀のロシアで、銃をもった常備軍。時の権力者によって政敵を倒す手先として用いられた。ピョートル時代には、その初期の改革に反対する摂政ソフィアの手先として使われ、ピョートルによって抹殺された。

(3) 一七二一年に制定され一七五八年に強化された法律によって、下級の兵卒の子弟(男子)は生まれ落ちると直ぐに兵籍に編入された。一八〇五年から五六年まで、彼らは「カントニスト」と呼ばれていたが、アレクサンドル二世の改革の過程で、この制度は廃止された。

「クシャトリア」はインドのカーストの第二身分のこと。

(4) この文章が一八五〇—五一年に書かれたものであることに留意されたい。この時から四年後の一八五五年にニコライ一世が没し、それからさらに六年後の一八六一年、アレクサンドル二世の時代に、ゲルツェンの目から見れば欺瞞的な形においてであったとは言え、とにかく、「農奴解放」は行われたのであった。

(5) ピョートル一世没後のロシアの王室にはプロシアの公家の血筋を引くものが多かった。例えば、ピョートル一世に処刑された皇太子アレクセイの妻はプロシアの公家(ブラウンシュヴァイク＝ヴォルフェンビュッテル家)の出身、ピョートル三世の母はピョートル一世の娘であったが、父親はプロシア貴族ホルシュタイン＝ゴットルプ公であり、その妻エカテリーナ二世は生粋のプロシア人でアンハルト＝ツェルプスト公家の娘であった。

(6) 軍備費の削減を目的として、国有地の農民に軍務と農事を兼務させようとした制度。日常生活の隅々にまで行きわたる軍隊式の規律に反撥し、各地に反乱が頻発した。

(7) 長司祭アヴァクームは総主教ニーコンの改革に反対して迫害された。

(8) 共産主義的社会の建設を目指したボヘミア兄弟団の一派。十七世から十八世紀にかけてサクソニアに移住した。

(9) アナバプチスト(再洗礼派)。十六世紀の初頭に現れたプロテスタントの一派。幼児洗礼を批判し、自覚的信仰告白による成人洗礼の重要性を唱えた。

(10) 「Felicie」とはエカテリーナ二世が孫のアレクサンドル(後の「一世」)のために書いた童

話『皇子フロールの物語』に出てくるキルギス・カイザクスの王女の名前。デルジャーヴィンは女帝に捧げる頌詩の中で、彼女を「Felicie」と呼んでいる。
(11)「ムギワラギク」。枯れても筍は残るところから、墓前に捧げることがある。
(12)「白や赤、大や小のルーシ」とは、それぞれ「白ロシア」(ベラルーシ)、「赤ロシア」(ウクライナ西部、ガリツィア地方)、「大ロシア」、「小ロシア」(ウクライナ)のこと。

第四章　一八一二年―一八二五年

ペテルブルク時代の第一部は一八一二年の戦争をもって終わる。それまで、社会的運動の先頭に立っていたのは政府であったが、これ以後は貴族階級が政府と並んで歩むことになる。一八一二年以前は民衆の力が信じられず、全能の政府に全幅の信が置かれていた。アウステルリッツ[1]は遠く、アイラウ[2]は勝利と思われ、チルジット[3]は栄えある出来事だった。だが、一八一二年には敵はメーメル[4]に入り、さらにリトアニアを通過し、気が付けばロシアの「鍵」スモレンスクの近郊にいた。恐怖に駆られたアレクサンドルは貴族と商人に助けを懇願すべく、急遽モスクワへと走った。彼は長く打ち捨てられていたクレムリンの宮殿に彼らを招き入れ、祖国を救う手立てを話し合った。ピョートル一世の時代この方、ロシアの歴代の君主は人びとと語らったことはなかった。皇帝アレクサンドルが宮中で、府主教プラトンが大寺院で、ロシアに差し迫った脅威について語り始めたとあれば、事態は極めて急迫していたと考えなくてはならない。

貴族や商人たちは政府に援助の手を差し伸べ、その窮状を救った。が、この国全体の不幸の時にあってなお忘れられた民衆、あまりに蔑《ないがし》ろにされていたがゆえに、血を流すことは当然で、敢えてその同意を求めるまでもないと思われていた民衆――その民衆が、呼びかけを待つまでもなく、自分たちの事として、大挙して立ち上がったのである。

ピョートル一世の登極以来初めて、全ての階級にこの暗黙の団結が生まれた。農民たちは黙々と義勇軍の隊列に加わり、貴族たちは農奴の十分の一を提供し、自ら武器を取った。商人たちは収入の十分の一を拠金した。国民的な高揚が帝国全体を包んだ。モスクワ撤退から六か月後、アジアの境には首都を守らんものと、シベリアの果てから馳せ参じた武装した人びとの大群が現れた。モスクワの占領と炎上の報は全ロシアを震撼させた。というのも、民衆にとって真の首都はモスクワだったからだ。モスクワは自らを犠牲に供することによって、眠気を催すようなツァーリ体制の罪滅ぼしをすることになった。モスクワは栄光に包まれて再び立ち上がろうとしていた。敵の力はその城壁の中で疲弊した。征服者の退却はクレムリンから始まり、そして、それはセント・ヘレナ島で終わりを告げることになる。民衆の最初の覚醒を前にしてペテルブルクは顔色を失い、皇帝のいない首都、祖国全体のために身を挺したモスクワが新しい意義を得た。

こうして、血の洗礼の後、全ロシアは新しい段階に入ったのである。民族戦争の興奮、全ヨーロッパへの栄えある行軍、パリの占領——こうしたことからペテルブルクのデスポチズムの無風状態へとすぐに移ることはできなかった。政府自身おのが古いやり方にすぐに戻ることはできなかった。アレクサンドルはメッテルニヒに隠れて自由主義者の振りをし、ブルボン家のウルトラ君主主義的計画を皮肉り、ポーランドでは立憲君主の役割を演じていた[5]。

貧しい農民について言えば、彼らは自分たちの共同体に帰り、野良に立ち帰り、そして隷属状態に立ち戻った。彼らには何一つとして変わらなかった。彼らには自分の血をもって勝ち取った勝利に感謝して、何らかの特典が与えられるということもなかった。アレクサンドルが彼らへのご褒美として用意していたのは、屯田兵制度という奇怪なる計画であった。

戦後間もなく、社会思想の中に大きな変化が明らかになった。敵の砲弾に勇敢にも自らの胸を晒した近衛と陸軍の士官たちは、もはや以前のように従順でも聞き分けよくもなかった。社会にしばしば名誉とか個人の尊厳といった騎士的感情が現れるようになった。こうした感情はこれまで、ツァーリの恩顧によって民衆の中から引きたてられた平民出のロシア貴族には見られないものだったのである。と同時に、拙劣な行政、役人の収賄、官憲の弾圧などが広く憤懣を呼び起こし始めていた。政府には、これまで通りの組織のままでは、いかなる善意をもってしても、これらの権力の乱用を防ぐことが出来ないということは明らかになった。また、「元老院」という厳めしい名称をもつ養老院などからいかなる公正さも期待できない、ということも明らかになった。そもそも、この組織は従順だけが取り柄の無学者を集めた物置のようなところで、政府は行政機関に残しておくわけにはゆかないが、さりとて、追い出してしまうわけにもゆかないというような、古手の役人を片付けただけのところなのである。もっとも、例えば、モルドヴィーノフ老提督のような、大きな権威を持つ政治家の中には、早急に改革しなくてはならないことは数多いと公言する者もいた。アレクサンドル自身、改善を望んではいたが、それにはどこから手を着ければよいか分からなかった。絶対主義者の歴史家カラムジーンと、後にニコライ一世の法典の編纂者となるスペランスキーがアレクサンドルの命により、憲法の草案作りに取り掛かった。

精力的で真面目な人びとはこの空想的な計画の完成を待ちきれなくなっていた。彼らは漠然とした不満では飽き足らず、別のやり方に訴えようとした。彼らが考えたのは大きな秘密結社を作ることだった。この結社は若い世代の政治教育に携わり、自由の思想を普及し、ロシアの統治形態を根底的かつ完全に改革するという、複雑な問題を深く研究することになっていたが、彼らは理論だけでは満足できず、同時に、自分たちの結社を、好適な機会があればすぐにでも利用し、皇帝権力を揺り動かすことができるような組織にしようとした。ロシアの青年の中でも最も高潔な部分たる若き軍人――ペステリ、〔ミハイル・〕フォンヴィージン、ナルィシキン、ユシネフスキー、〔ニキータ・〕ムラヴィヨーフ、〔ミハイル・〕オルローフといった人たち、ルィレーエフやベストゥージェフといった最も愛すべき作家たち、オボレーンスキー公、トルベツコーイ公、オドーエフスキー公、ヴォルコーンスキー公、チェルヌィショーフ伯といった最も栄えある家門の子弟たちが、ロシアを解放せんとする最初の方陣の隊列に先を争って馳せ参じた。当初、この結社は「福祉同盟」と名乗っていた。

いかにも奇妙なことだが、信念と力とに満ちたこれらの血気盛んな青年たちが、ペテルブルクの絶対主義を打倒すべき盟約を交わしたまさに同じ時に、アレクサンドル帝はロシアをヨーロッパの専制的絶対君主たちと結びつけるべく、盟約を交わしたのである。彼は有名な神聖同盟を結成したばかりであった〔一八一五年〕。これは神秘的で無用で、ありうべからざる同盟であり、絶対主義のグリュートリ(6)、王位に就いた三人の学生が結成したトゥーゲンブント(7)といった代物だが、アレクサンドルはその中にあって熱烈な主導者の役割を演じていたのである。

いずれも盟約を守った。一方は己が信念の故に死すべく絞首台に、あるいは、流刑地へと赴くことによって、アレクサンドルは帝位を己が弟ニコライに託すことによって。

軍隊が帰還した時から一八二五年までの十年が、ペテルブルク時代の絶頂期であった。ピョートル一世が創り出したロシアは、自らの内に強さと若さと溢れる希望とを感じていた。ロシアは自由も文明と同じように簡単に接ぎ木しうるものと考え、文明がまだ表層以上には沁み込んでおらず、ただほんの僅かな人びとのものにしかなっていないということを忘れていた。だが、実際のところ、この少数の者たちの成長は目覚ましく、ツァーリの体制の仮初めの諸条件と折り合うことができないほどにまで達していた。

これはロシアで生まれた最初の真に革命的な反対派であった。十八世紀初頭、文明に刃向かった反対派は保守的だった。エカテリーナ二世の治世にパーニン伯のような何人かの高官たちが形成した反対派ですら、君主主義思想の大枠の外に出ることはなかった。時としてその動きが活発になることもあったが、それは常に穏健で分限を弁えていた。だが、一八一二年以降、知識人たちの傾向は全く別のものになった。保護者たる専制と被保護者たる文明との衝突は不可避的なものとなった。両者の最初の闘いは十二月十四日(二十六日)に起きた。勝利者となったのは絶対主義であった。それは悪を為す力をいまだどれほど有しているかを誇示したのであった。

帝政体制の諸条件に対してわれわれが用いた、「仮初め」という言葉は奇妙に見えるかもしれないが、ロシア政府がやっていることをよくよく観察した時に、この言葉はこれらの特徴的なものを最もよく伝えている。政府の制度、法律、施政など、どれ一つをとっても明らかに場当たり的でその場しのぎ、定見にも確たる見通しにも欠けているのである。これは、例えばオーストリアのような、何らかの意味で保守的な政府だというわけではない。それというのも、この政府には物質的な力と領土の一体性以外、守るべきものが何もないからだ。これは国の制度や伝統、風俗習慣や法などを、全て専制的にひっくり返すことによってデビューを果たしたのだったが、改革に次ぐ改革を繰り返しながら、そのくせ、確固たる秩序には未だに到達していないのである。誰の治世も、大方、法と秩序の問題を抱えている。昨日指示されたことが今日になると禁止される。法令は手直しされ、制限され、廃止される。ニコライによって創られた法大全は、帝国の法体制なるものがいかに原則と統一性を持たないかをよく示している。これは今ある法律を寄せ集めたもので、法令、条令、勅令など、多かれ少なかれ矛盾するものの寄せ集めである。いずれも確たる法の精神というよりは、君主の性格やその時々の利害関係の方をよりはっきりと表しているのである。基本となっていたのはアレクセイ帝の法典だが、それを継承したとされるピョートル一世の法令は、全く異なる傾向に貫かれていた。

ベッカリーアやモンテスキュー仕込みのエカテリーナの法律に並んでいるのは、パーヴェル一世の朝令暮改の命令の数々である。これらはローマ皇帝の数ある勅令の中でも、最も愚劣で恣意なものを遥かに凌駕している。ロシアの政府は、歴史的な根拠を持たないあらゆる政府の常として、保守的でないどころか、新機軸を狂ったように愛しているのである。それは何事もそっとして置かない。稀に改良されることがないわけではないが、それだとて、絶えず修正されてしまう。文官や武官の地位に応じた制服が、理由もなくいつも変わるのも同じ事情による。言うまでもないことながら、こんなお遊びのために莫大な金が費やされてきたのである。古い建物の化粧直しの歴史にも同じことが言える。これはロシア政府の趣味と、その文明化の程度とを極めてよく表している。時として、ロシアにはれっきとした革命が幾つも為されているのだが、いずれも国外では知られないままなのは、万事閉鎖的で、何事につけ物言えぬがためだ。例えば、一八三八年に帝国の農村共同体全体の管理運営の方法が根本的に変えられた(8)。政府は共同体のことに口出しするようになり、村ごとに警察の監視が二重に張り巡らせるようになり、農事作業の強制的な組織化を導入するようになり、ある村から奪い、それで他の村を豊かにするなどという方策をとるようになり、最後に、千七百万もの人間のための新しい統治形態を考案した。だが、優に革命と呼べるほどの規模に達したこんな出来事ですら、何故かヨーロッパではいまだに知られていないのである。

農民たちは土地の調査や、彼らから見れば制服を着た特権的強盗でしかない役人たちの口出しに危機感を募らせ、色々な所で暴動が起きた。カザン、ヴャトカ、タムボフの諸県の幾つもの郡では、農民たちに榴散弾まで使われるという事態に立ち至り、かくして、新しい秩序は保持されたのであった。

こんな状態が長く続くはずはない——そうしたことが初めて感じられるようになったのも、一八一二年以後のことだったのである。

秘密の政治結社の出現はあらゆる点で時宜に適っていた。文学的プロパガンダは極めて活発に行われていた。その中心にいたのは、かの有名なルィレーエフであった。彼とその友人とはロシア文学がこれ以前にも、これ以後にも、決して持たなかったような精力と活力とをこれに与えた。それは言葉であっただけでなく、行為でもあった。決意はすでに為されていること、確たる目的があること——こうしたことを誰もが知っていた。そして、危険をものともせず、揺ぎない足取りで、頭を高く掲げ、引き返すことのできない結末に向かって進んで行ったのだった。

社会的に自由を持たない人びとにとって、文学は唯一の論壇であった。その高みから彼らは自分たちの憤りと良心の叫びを聞かせることが出来たのである。

このような社会にあって、文学はヨーロッパの他の国々がずっと以前に失ってしまった、極めて大きな影響力を持っている。ルィレーエフやプーシキンの革命的な詩は、帝国のどんな僻遠の地に住む若者の手の中にも見出すことができる。きちんとした教育を受けた令嬢で、彼らの詩を暗唱できない者は一人としていない。士官で背嚢《はいのう》に彼らの詩を忍ばせていない者は一人としていない、僧侶の息子で彼らの詩を書き写したものを一ダースも持っていない者は一人としていない。だが、近年こうした熱は著しく冷めてしまった。というのも、彼らの詩はその役割を果たし終えたからだ。しかし、まるまる一つの世代がこの燃え立つような若々しいプロパガンダの影響を受けたのである。

陰謀はペテルブルク、モスクワ、そして小ロシアで、近衛士官や第二軍団の士官の間に、異常な速さで広がった。ロシア人というのは、行動への動機がない限り無関心この上ないのだが、熱中するとなったらいとも簡単で、一旦熱中したら最後、彼らはとことん突き進み、いかなる妥協も受け付けない。

ピョートル一世の時代以来よく言われてきたことに、ロシア人の滑稽の域に達するほどの模倣の才能というのがある。ドイツの学者の中には、スラヴ人は固有の性格に乏しく、彼らの際立った特徴は模倣上手ということにある、とか言う者がいる。確かに、スラヴ的民族性には並々ならぬ柔軟性がある。一旦自らの愛国的排他性を脱するや、彼らにはもう他人の民族性を理解するための越えがたい障害などなくなる。ライン河を越えることのないドイツの学問や、ドーヴァー海峡を越えるとひどいものになるイギリスの詩が、スラヴ人のもとでは長いこと市民権を得て来た。さらに付け加えなくてはならないのは、スラヴ人の模倣上手の根底にはある種の独自性があり、それは、外からの影響に身を任せながらも、それでもどこかに自分独自の性格を保持している、ということだ。

われわれの目下の関心事である陰謀の過程においても、ロシア人の精神のこの特徴に出会う。当初、この陰謀はイギリス的意味での立憲的で自由主義的傾向を帯びていた。しかし、こうした意見が受け入れられるに及び、同盟は姿を変えた。それはより急進的になり、その結果、多くの者が脱退した。陰謀家の中核となったのは共和主義者であり、彼らはもはや立憲君主制では満足できなくなった。専制を制限する力があるなら、これを廃絶することだってできるだろうと、彼らが考えたのは至極当然であった。南部結社のリーダーたちはスラヴ人の共和主義的連合を念頭に置き、共和主義的統治形態を組織するべく、革命的独裁を準備した。

それればかりではない。ペステリ大佐が北部結社を訪問した時、彼はそこで問題を別の形で提起した。彼は革命に土地所有の問題を導入しなければ、共和制を宣言しても何の意味も持たない、と考えたのである。ここで忘れてならないのは、今話題となっているのが一八一七年から一八二五年の間に起きたということだ。社会的問題のことなどを考えていた者は、当時のヨーロッパでは誰一人としていなかった。「狂人にして野蛮人」グラキュース・バブーフはもう過去の人だったし、サン・シモンは論文を書きはしたが、そんなものは誰も読まなかった。フーリエの置かれた状況も同じようなものだった。オーウェンの実験も、もはや関心を引かれなくなっていた。当時最も偉い自由主義者であったバンジャマン・コンスタンやクーリエのような人たちは、ペステリの提言を聞いたら大声を出して怒ったことだろう。何しろこの提言たるや、プロレタリアートをメンバーとするクラブで為されたのではなく、最も裕福な貴族だけから成る大きな結社に対して為されたのだから。ペステリはこれらの貴族に向かって、たとえ一命を擲《なげう》ってでも、自分たちの財産を断固没収するようにと提案したのである。彼は誰の同意も得られなかった。彼の信念は当時学ばれたばかりの経済学の諸原則を覆すものだったのである。しかし、彼は決して収奪や殺害を望む者と見なされてはいなかった。ペステリはあくまでも南部結社の真の指導者であり続けた。おそらく彼は、事が成った暁には独裁者となったことだろう。つまるところ、彼は社会主義が現れる前の社会主義者だったのである。

　ペステリは夢想家でもユートピストでもなかった。全く逆で、彼はあくまでも現実に密着していた。彼は己が民族の精神をよく知っていた。貴族に土地を残しておけば、それは寡頭政治を招来するだけだろう。そうなれば、民衆には自分が解放されたことが分からないだろう。というのは、ロシアの農民は土地付きの自由以外の自由を望んでいないからだ。

民衆を革命に参加させようと最初に考えたのもペステリであった。彼は、蜂起の成功は軍の支持なくしてはあり得ないということでは、友人たちと同意見であった。しかし、彼は何としても分離派教徒をも味方に引き入れたいと思った。未来が彼の思慮深い目論見の正しさと先見性を証明することだろう。

全てのことが終わった今となっては、ペステリが幻想を抱いていたのだという他ない。彼の友人たちには社会革命を準備できていなかったし、民衆も貴族と共に大義に加わることができなかったのだから。しかし、このような幻想を人民大衆の成長に先んじて抱けるのは、ただ偉大な人たちだけなのである。

彼は時期尚早という点で実践的には間違っていたが、理論的という点から見れば、これは一つの啓示であった。彼は予言者であった。結社そのものが今日の世代にとっては大きな学校なのである。

十二月十四日(二十六日)は現にわが国の政治教育に新しい局面を切り開いた。そして、奇妙に思われるかもしれないが、この事件が社会に対してプロパガンダ以上に、そして、理論以上に巨大な影響力を持つに至った理由は、蜂起という出来事そのものにあり、また、広場で、裁きの場で、枷をはめられた姿で、皇帝ニコライの面前で、鉱山で、そしてシベリアで為された、陰謀家たちの英雄的な振る舞いにあったのである。ロシア人にはリベラルな志向が足りないわけではない、あるいは、為されてきた権力の乱用を理解する力が足りないわけでもない。彼らに足りないのは、彼らに大胆な決断をさせる先例であった。理論は信念を吹き込み、実例は行動の形を決める。このような実例は、人が自分の意志を実行に移すことにも、公然と行動することにも、自分に力を感じ自分を信頼することにも慣れていないところでは、あるいは逆に、人が常に未成年のままで、声を発することもなく、意見を持つこともなく、人を寄せ付けない壁の陰に隠れるように共同体の陰に隠れ、まるで姿が消えてしまったかのごとく、国家に飲み込まれていたようなところでは、何にもまして、不可欠なのである。当然のことながら、文明と共に自由の観念も涵養《かんよう》された。しかし、不満を積極的に言うことには、あまりにも慣れていなかった。誰もがデスポチズムから解放されたいと願ってはいた。しかし、誰も最初に行動を起こそうとはしなかったのだ。

ところが、その最初の人たちが現れたのである。彼らの魂は余りに大きく、その人格の力もあまりに強かったので、いかに政府と言えども、公的報告の中ですら、彼らを貶め、彼らに汚名を着せることは出来なかった。ニコライは過酷な処罰で甘んじざるを得なかった。沈黙にも無言の受忍にも終止符が打たれた。絞首台の高みから、これらの人たちは新しい世代の魂を目覚めさせた。目隠しが取れたのだ。

十二月十四日の行動は当の政府に対しても、これに劣らぬ決定的な作用を及ぼした。ピョートルからニコライに至る歴代の政府は進歩と文明の旗を高く掲げていた。だが、一八二五年以降、様相は一変した。政府はただひたすら、知的運動の進展を抑えることだけに腐心するようになった。皇帝の旗に書かれているのはもはや「進歩」という言葉ではなく、「専制、正教、民族性」という言葉がそれに代わった。これはデスポチズムのmane, fare, takel(9)であった。しかも、後の二つの言葉は単なるお体裁としてそこに書かれただけだった。宗教も愛国心も専制を強化するための手段に過ぎず、民衆がニコライのナショナリズムに騙されることは決してなかった。彼の治世の本質を最もはっきりと示しているのは、専制の言葉――「たとえロシアが滅びようとも、権力が全能にして不可侵であればよし」である。この野蛮なモットーにはもはや誤解の余地はない。十二月十四日はまさに政府をして偽善をかなぐり捨て、公然とデスポチズムを宣言することを余儀なくさせたのである。

ロシア人の血〔一八二六年、デカブリストの処刑〕に始まり、ポーランド人の血〔一八三〇―三一、ポーランド蜂起の鎮圧〕まで続く暗い治世が始まる少し前に、偉大なるロシアの詩人、プーシキンが現れた。彼は、出現するやすぐに、ロシア文学にとって彼を抜きにしては語れない不可欠の存在となった観がある。他の詩人も読まれ、読者を感動させはしたが、プーシキンの作品はロシアの教養ある全ての人が愛蔵し、生涯を通して繰り返し読んだ。彼の詩は試作でも習作でも練習でもない。それは彼の使命である。それは既にして成熟した芸術となっている。ロシアの国民の教養ある部分は、彼の中に初めて、詩的言語の才能を見たのである。

プーシキンはこれ以上にはありえないほどに国民的であったが、同時に、異国の人たちにも理解されている。彼がロシア歌謡の民衆語を真似ることは滅多にない。彼は自分の思いを、それが湧き上がるままに伝えている。全ての偉大な詩人と同様に、彼は常に読者と同じところに立っている。彼は威厳あるものにもなるし、暗くもなるし、激高もするし、悲劇的にもなる。彼の詩文は海のように、嵐に揺すぶられる森のようにざわめく。と同時に、それは明るく、透明で、煌《きら》めいていて、歓びと躍動とに満ちている。どこにあっても、ロシアの詩人はあらゆることに現実的であり、病的なところはどこにもなく、ドイツの詩人たちによく見られる大袈裟な病理学的心理主義や、キリスト教の抽象的な唯心論に似たものもない。彼のミューズは神経を病んだ、経帷子《きょうかたびら》に包まれた蒼ざめた創造物ではなく、健康に輝く溌剌《はつらつ》とした女性である。彼女は紛《まが》い物の感情を探すのが難しいほどに真の感情に富んでおり、作り物の不幸を探す必要がないくらいに十分不幸でもある。プーシキンにはギリシアの詩人たちの持つ汎神論的で享楽的な本性がある。しかし、彼の心には全く現代的な要素もある。自分を深く見つめることによって、彼は心の奥底にバイロンの苦い想念、現代の腐蝕的なアイロニーを見出したのである。

プーシキンはよくバイロンを模倣していると言われる。確かに、イギリスの詩人はロシアの詩人に大きな影響を与えた。だが、力のある魅力的な人がそばにいれば、その影響を受けないでいられるはずはないし、彼の光で成長しないはずもない。自分たちに貴重な知性に共鳴することを通じて、われわれは自分たちの心にとって貴重なものを確認し、霊感や新しい力を与えられるのである。だが、この自然な反応は模倣からは程遠いところにある。バイロンの影響が極めて強く感じられる初期の詩の後、プーシキンは新しい作品を書く毎に、どんどんオリジナルになって行く。イギリスの偉大な詩人に常に深く魅了されながらも、彼はその被保護者にも寄食者にも、また traduttore〔翻訳者〕にも traditore〔裏切り者〕にもならなかったのである。

人生の終わりに向かうにつれて、プーシキンとバイロンは互いに遠く離れた者になる。その理由は簡単だ。バイロンが心の底までイギリス人であったのに対して、プーシキンは心の底までロシア人だった、しかも、ペテルブルク時代のロシア人だったということだ。彼には文明化された人間の苦悩が全てよく分かっていた。しかし、彼には西欧の人間がすでに失っていた未来への信念があった。偉大な自由の個性バイロン、おのが独立性の中で屹立し、おのが誇りの中に、おのが傲慢なる懐疑的哲学の中に閉じこもるこの人は、いよいよ暗く、そしていよいよ頑なになってゆく。彼には自分の前にいかなる近い将来も見えなかった。そして、苦い想念に打ちひしがれ、世間への嫌悪に満ちて、スラヴ・ギリシア人の海賊の群れを古代のギリシア人に見立て、これにおのが運命を委ねることも厭わない。プーシキンは、逆に、ますます冷静になり、ロシア史の研究に没頭し、プガチョフに関する研究資料を収集し、史劇『ボリス・ゴドゥノーフ』を書く。彼にはロシアの未来への本能的な信念がある。彼の魂の中には、まだ幼いころの一八一三年と一八一四年に彼を驚かせた、勝利と凱旋の叫びが鳴り響いていたのだ。彼にも銃剣の数を誇り、大砲に依存するペテルブルク流の愛国主義に心を奪われた時期もあった。この尊大さは、これが極端にまで達したバイロン卿の貴族主義と同様、ほとんど弁明の余地はない。しかしながら、その理由ははっきりしている。言うのは辛いが、プーシキンの愛国主義は狭隘であった。偉大な詩人の中には廷臣が多くいる。例えば、ゲーテやラシーヌらがそうだった。プーシキンは廷臣ではなかったし、政府の味方でもなかったが、国家の野性的な力には彼の愛国的本能を擽《くすぐ》るものがあった。まさにそれゆえに彼は異論に対して砲弾で答えようという、野蛮な願望を分け持つことになったのである。ロシアは部分的には奴隷である。というのも、ロシアは物質的な力に詩情を、諸国民を脅すことに栄光を見ているからだ。

プーシキンの『〔エウゲニー・〕オネーギン』はロシア風の『ドン・ジュアン』だと言う者がいるが、これはバイロンもプーシキンも、イギリス人もロシア人も知らない者の言うことだ。彼らは外的形式にこだわっている。『オネーギン』はプーシキンが自らの人生の半ばを賭けて書いた、最も重要な作品である。この物語詩が生まれたのは、われわれが扱っている、まさにその時代のことだ。この作品は十二月十四日に続く悲しい年月によって熟成したのである。詩的自叙伝とも言うべきこのような作品が模倣だなどと、一体誰が信じるだろう。

オネーギンはハムレットでもなければファウストでもない、マンフレッド〔バイロンの同名の戯曲の主人公〕でもなければオーベルマン〔セナンクールの同名の小説の主人公〕でもない、トレンモール〔ジョルジュ・サンドの小説『レリア』の主人公〕でもなければカール・モール〔シラーの戯曲『群盗』の主人公〕でもない。オネーギンはロシア人である。彼はロシアにしか生まれ得ない。そこでは彼は必然的であり、至るところで彼に出会う。オネーギン——それはのらくら者である。と言うのも、彼は一度として何かの仕事をしたことがないからだ。これは彼のいる環境の中では余計者である。というのも、彼はこの環境から抜け出すのに必要な性格的な力を持っていないからだ。彼は死ぬその時まで試みの生を送り、死が生よりましかどうか知りたくて、死んでみようかとすら思う人間である。彼は何にでも手を出すが、どれ一つとして最後までやり通すことがない。彼は仕事をしない分、あれこれ考えに耽《ふけ》り、二十歳にして老け込み、逆に、年を取るにしたがって、色恋沙汰のおかげで若返る。われわれも皆そうだが、彼は絶えず何かを待ち望んでいる。何故と言って、人間誰しも、ロシアの今のような有様がこれから先もずっと続くだろうなどと信じていられるほど、狂気じみてはいないからだ……。何もやってこなかったが、人生は終わりに近付いて行く。オネーギンの形象は極めて国民的なので、ロシアで何らかの形で反響を呼んだあらゆる小説、あらゆる詩の中で彼に出会うことになる。というのも、模倣したいと思われるからではなく、オネーギンは自分たちの傍らに、あるいは、自分たち自身の中に、常に見出されるからだ。

グリボエードフの有名な喜劇〔『知恵の悲しみ』〕の主人公、チャーツキーは理屈好きのオネーギンで、彼の兄である。

レールモントフの「現代の英雄」〔ペチョーリン〕は彼の弟である。オネーギンは二流どころの作品の中にすら登場する。彼は誇張してか、あるいは、不完全に描かれているが、それが彼であることはすぐに分かる。彼自身でないとしても、少なくとも、その模倣である。ソログープ伯爵の『タランタス』では若い旅人が視野の狭い育ちの悪いオネーギンである。つまるところ、役人や地主にさえなろうとしなければ、われわれは皆、多かれ少なかれオネーギンなのである。

文明はわれわれを損ない、われわれを道に迷わせている。他ならぬ文明がわれわれを無為で無益で、自分にも他人にも手に負えない気まぐれ者にし、奇行や乱行を繰り返させ、財産も心も、果ては若さまでも、暇つぶしや刺激や気晴らしを求めることに蕩尽《とうじん》させている。その有様は行きずりの人に、退屈しのぎに蹴とばしてくれとねだる、ハイネの〔『ドイツ冬物語』第三章に出てくる〕アーヘンの犬のようだ。われわれは何にでも手を出す――音楽、哲学、恋愛、兵学、神秘主義――それというのも、ただひたすら気晴らしのため、自分たちを圧迫する大きな空白を忘れるために過ぎない。

文明と奴隷制――これら二つの間、力ずくで近付けられたこの二つの両極端の狭間には、われわれが肉体的に、あるいは精神的に押し潰されることを防ぐような、「襤褸布」一枚とてないとは！

われわれには広い教育が与えられている。われわれには現代世界の願望、志向、苦悩が扶植されている。そして、その上で命じられている——「奴隷のままでおれ。口をきくな、余計なことをするな、さもないと身の破滅だぞ。」その見返りとして、われわれには農民の生皮を剝ぎ、彼らから取り立てる血と涙の結晶たる税で、緑の毛氈《もうせん》の上、あるいは酒場で愉しむ権利が保障されているのだ。

若者は奴隷根性とさもしい野心のこの世界に、生き生きとした関心をいささかなりとも見出せない。しかしながら、まさにこの社会に、彼は生きることを運命付けられているのだ。なぜならば、民衆はまだ彼からずっと離れたところにいるからだ。自分たちと民衆との間に共通するものが何一つとしてないとしても、少なくとも、「この〔仲間内の〕世界」は自分と同類の堕ちた連中で成っているのだ。ピョートル一世はあらゆる伝統を断ち切ってしまった。そのあまりの激しさの故に、いかなる人間的な力をもってしてもこれらを何一つ元に戻すことは出来なくなっている。少なくとも、今のところは。残るのは孤立するか闘うかしかない。しかし、われわれにはそのいずれをも選ぶ道徳的な力がない。かくして、売春宿かどこかの兵営の地下牢で身を滅ぼすのでないとすれば、オネーギンになる他ないのだ。

われわれは文明を偸《ぬす》んだ。そして、ジュピターは激怒してプロメテウスを責め苦しめたように、われわれをも激しく罰しようとしている。

オネーギンの傍らに、プーシキンはウラジーミル・レンスキーを配した。彼もまた、オネーギンと〈逆の意味での〉ロシア的生活のもう一人の犠牲者である。それは慢性的な苦悩に並ぶ、急性の苦悩である。これは堕落し狂気じみた環境に馴化できない、汚れなき純粋な性格の一つである。生を一旦は受け入れながらも、彼らはこの穢れた土壌から、もはや、死以外のいかなるものも受け取ることができない。贖罪の生贄たるこれらのうら若き者たちは、早くも惨めにして宿命の刻印を額に帯び、詰るように、良心を責め苛《さいな》むかのように通り過ぎて行く。そして、彼らの行き過ぎた後、「我らが生きて在る」悲しい夜はいよいよ暗さを増すのである。

プーシキンは、人が若き日の夢や、世間知らずで希望と純粋さとに溢れていた頃の想い出に抱く、あの優しさをもってレンスキーの性格を描いた。レンスキーはオネーギンの良心の最後の叫びである。というのも、これは彼その人であり、彼の若き日の理想だからだ。詩人は、このような者にはロシアで為すべきことが何もないことを知っていた。そして、彼はレンスキーをオネーギンの手で殺した。オネーギンは彼を愛していた。だから、彼に狙いを付けながらも、彼を傷つけることを望んではいなかったのに。プーシキン自身、この悲劇的結末に驚いた。彼は読者を宥めようとして、若い詩人に待っているはずの月並みな人生を、大急ぎで描いて見せた。

プーシキンの傍らにはもう一人のレンスキー――ヴェネヴィーチノフが立っている。彼の純真で詩情に満ちた魂は、ロシアの粗暴な現実によって二十歳〔正確には二十二歳〕の若さで打ち砕かれてしまった。

これら二つのタイプの間、献身的で一途な詩人と、他方における疲れ果てて苛立った余計者との間、レンスキーの墓とオネーギンの憂愁との間には、文明化されたロシアの深く、そして汚れた川が、貴族や官僚、士官や憲兵、大公や皇帝と共に、ゆっくりと流れている。そして、下劣、盲従、残虐、嫉妬など、形のない物言わぬ塊があらゆるものを引きずり込み、飲み込んでいる。「親愛なる読者よ」とプーシキンは言う「これがわたしたちの浸かっている淵なのですよ。」

プーシキンは素晴らしく美しい革命的な詩を書いてデビューを果たした。アレクサンドルは彼をペテルブルクから放逐し、帝国の東の最果ての地〔キシニョフ〕に流した。そして、新しきオウィディウスたる彼は、一八一九年から一八二五年という人生の一部を、タヴリーダのヘルソネスで過ごした。友人たちと別れ、政治の世界からも遠く離れ、華やかな、しかし野性的な自然に囲まれ、プーシキンは何にもまして、おのが抒情に浸り切った。彼の抒情詩の数々は彼の人生のそれぞれの段階であり、彼の魂の伝記である。そこに見えるのは、この燃えるような魂を湧き立たせたあらゆるものの痕跡である。それは真実であり、迷いであり、束の間に過ぎ去る愉楽であり、変わることのない深い共感である。

ニコライがプーシキンを呼び戻したのは、十二月十四日の英雄たちを自ら命じて縊った数日後のことだった。ニコライは彼に恩顧を与えることにより彼を社会的に貶め、おのが庇護下にあることを誇示することによって、彼を支配しようとしたのである。

帰還したプーシキンの目には、モスクワの社会もペテルブルクの社会も一変していた。友人たちはもはや誰もいなかった。彼らの名を口にすることすら憚られていた。語られていたのは逮捕や捜索や流刑のことばかり。万事が暗く、恐怖に包まれていた。ミツケーヴィチやその他のスラヴの詩人とは、ちらりと会っただけだった〔一八二六年〕。彼らは墓場でするように、互いに手を差し伸べ合った。彼らの頭上には雷雨の気配があった。プーシキンは流刑地から帰ったのだったが、ミツケーヴィチは流刑地に赴くところであった。彼らの出会いは悲しみに溢れていたが、互いに理解し合うことはなかった。ミツケーヴィチがコレージュ・ド・フランスで行った講義〔一八四〇―四四〕は、両者の間にあった意見の違いを明るみに出すものだった。ロシア人とポーランド人にとって、互いに理解し合う時はまだ到来していなかったのである。

ニコライのコメディーはまだ続く。彼はプーシキンを年少侍従に取り立てたのである。こちらはその意図を察し、宮中に参内しなかった。彼には選択肢が示されていた——カフカースに行くか、それとも宮廷のお仕着せを身に着けるか。彼にはすでに妻がいたこともあって——この女性が後に彼の破滅の原因となるのだが——今となっては、二度目の流刑は最初のそれよりは重荷に感じられた。そこで彼は宮廷を選んだ。この自尊心と抵抗力の欠如、この曖昧な順応性には、ロシア的性格の悪しき側面が見て取れるだろう。

ある時、皇嗣たる大公〔アレクサンドル、正確にはその弟ミハイル大公〕がプーシキンにその昇進を祝った。これに答えて、彼は言ったものだ。「殿下、この件で私を祝って下さったのは、殿下が最初です。」

一八三七年にプーシキンは決闘で斃れた。相手は雇われた刺客の一人だった。この手の連中は中世の御雇外国人か、今日のスイス人のように、おのれの剣をどんなデスポチズムにでも用立てようと身構えているのである。プーシキンの命は、自分の歌を歌い終わらず、語ることの出来たはずのことを言い尽くすことなく、その力の満開の時に散ったのであった。

宮廷とその取り巻き連を除き、ペテルブルク中の者がプーシキンを悼んで哭いた。この時になってやっと、彼が得ていた人気がどれほどのものか、はっきりした。彼が瀕死の状態にあった時、詩人の容態を知ろうとして、人びとは群れを為して彼の家を取り囲んだ。これは冬宮からほんの一足ほどのところで起こっていたことだったので、皇帝は自室の窓からこの人びとの群れを見ることが出来た。嫉妬の念に駆られた彼は、人びとから彼らの詩人を葬る権利を奪った。凍てつく夜、プーシキンの亡骸は憲兵と警察とに囲まれ、別の教区の教会に密かに移送された。そこで司祭が彼の葬儀のミサを手早く済ませると、一台の橇が詩人の遺骸をプスコフ県の修道院に運び去った。ここに彼の所領があったのである。このように欺かれた群衆が遺体の安置されていた教会へと向かった時には、雪は護送の跡をすべて消し去っていたのだった。

わが国では、恐ろしく、そして暗い運命が、皇帝の笏杖《しゃくじょう》によって記された水準より上に、敢えて頭をもたげようとするあらゆる者に用意されている。詩人であろうが、一般の市民であろうが、思想家であろうが、誰にも避けがたい宿命が彼らを墓場へと追いやる。わが国の文学の歴史は殉教の歴史か、あるいは、徒刑地の目録である。政府が見逃した者たちすら滅びる。やっと蕾が開いたかに見えるや、彼らは早々に生と別れを告げることになるのである。

Là sotto i giorni brevi e nebulosi
Nasce una gente a cui il morir non duole
〔大意――遥か彼方霧深い短日に、死を悲しまない民が生まれた
（フランチェスコ・ペトラルカのソネットより）〕

ルィレーエフは、ニコライに縊られた。

プーシキンは、三十八歳にして決闘で殺された。

グリボエードフは、テヘランで謀られて殺された。

レールモントフは、三十歳にしてカフカースでの決闘で殺された。〔正しくは二十七歳〕

ヴェネヴィーチノフは、二十五歳にして社交界によって殺された。

コリツォーフは、三十三歳にして家族によって殺された。

ベリンスキーは、三十五歳にして飢えと貧困によって殺された。〔正しくは三十七歳〕

ポレジャーエフは、カフカースでの八年におよぶ強いられた兵士としての勤務の後、陸軍病院で死んだ。

バラトゥィンスキーは、十二年の流刑の後に死んだ。

ベストゥージェフは、シベリアでの強制労働の後、年若くしてカフカースで非業の死を遂げた……

「おのが預言者たちを石もて打ち殺す者たちに災いあれ」と聖書には書いてある〔マタイ：23-37、ルカ：13-34〕。だが、ルーシの民が恐れなければならないものは何もない。彼らの運命をこれ以上不幸にするようなものは、もはや何一つとしてないからだ。

訳注

（1）一八〇五年、仏・墺・露の「三帝会戦」。
（2）東プロイセンの寒村。ここでナポレオン軍とプロイセン軍・ロシア軍が闘った。猛吹雪の中の戦闘で、勝敗の程は不明であったが、フランス軍はこれを勝利と称した。
（3）一八〇七年、この地でナポレオンとアレクサンドルの間に和議が結ばれた。
（4）リトアニア西部の港町。ハンザ同盟の重要な都市。リトアニア名はクライペダ。
（5）一八一五年のウィーン会議でポーランドの一部を得たアレクサンドルは自らこの地の国王となって憲法を施行した。
（6）一八三八年にスイスで結成されたブルジョア的改革団体。
（7）一八〇八年、フランス軍占領下のプロシアに結成された反ナポレオンの秘密結社。

（8）一八三八年から一八四一年にかけて、国有財産管理相キセリョーフによって国有地農民への管理規則が改定された。
（9）王朝の没落の予言、旧約「ダニエル書」第五章より。

第五章　一八二五年十二月十四日以後の文学と社会思想

十二月十四日〔二十六日〕〔デカブリストの反乱〕に続く二十五年を特徴付けることは、ピョートル一世の時代以後に過ぎた全期間を特徴付けるよりも難しい。一つは表面に流れ、もう一つはほとんど見分けることが出来ないほど奥深いところに流れる、相反する二つの潮流が観察する者を混乱に導くのだ。一見したところ、ロシアは不動のまま立っているか、あるいは、むしろ後戻りしているように見えはしたが、しかし、根底的には、万事が新しい様相を帯び、問題はいよいよ複雑さを増し、その解決にはますます容易ならざるものがあったのである。

公式のロシアの表層、「帝国の正面」に目につくのは、喪失、狂暴な反動、非人間的な迫害、デスポチズムの倍加のみであった。凡庸な人びと、パレード用の兵士、バルトのドイツ人、野蛮な保守主義者たち、こうした連中の真ん中には、疑い深く、冷酷で、頑固で、非情で、高邁な魂などいささかも持たない男、彼を取り巻く者たちと同じように凡庸な男、ニコライの姿が見える。彼のすぐ足元には上流社会が控えていた。彼らは十二月十四日の後、頭上に襲い掛かった雷の最初の一撃に怯え、やっと覚えたばかりの名誉や尊厳の意識を失った。ロシアの貴族階級はニコライの治世ともなると、もはや回復不能の状態に陥っていた。その花盛りの季節はすでに終わっていたのである。その胎内にあった高潔で宏量なる者たちはすべて、鉱山やシベリアに消えた。これに対して、残った者、あるいは君主の覚えめでたい者たちは救い難いほどに悲惨な卑屈さにまで堕ち込み、その有様たるや、キュスティーヌ(1)の描写するところによって、われわれの知る通りだ。

近衛の士官たちもこれに続いた。かつては教養が高く、光り輝いていた彼らも、ますます愚鈍な下士官に成り下がって行った。一八二五年以前には、文官服を着ていた者は全て、肩章の優越性を認めていたものだ。紳士らしくあるためには、近衛連隊、あるいは、せめて騎兵連隊に、二年は勤めなくてはならなかった。士官たちは人の集まるところではいつでも真ん中におり、祝宴や舞踏会の花形であった。そして、実際の話、彼らがこのように遇されるだけの理由はあったのである。武官は卑屈で小心な官僚よりはずっと独立的であったし、矜恃《きょうじ》を高く保っていた。だが、事態は変わり、近衛士官も貴族たちと同じ運命を辿ってしまった。士官の中の最良の人びとは流され、ニコライが持ち込んだ粗暴で恥知らずな調子に耐えきれなくなって、多くの者が身を引いた。空いた席は兵営や教練場で生真面目に勤め上げた古強者によって、大急ぎで補充された。士官を見る社会の目は変わり、フロックコート組が勝利した。他方で、軍服が優位を占めたのは地方の小さな町と、帝国の最初の歩哨所たる宮中だけであった。(2) 皇族たちはその頭目と同じ様に、武官に対してその地位にはあるまじき過度の媚《こび》を示した。文官服が上流社会に大手を振って出入することができるようになったわけではなかったが、しかし、軍服を見る一般の人の目は冷たくなった。地方ではどうかと見れば、ここには文官服への抜きがたい嫌悪感がありはしたものの、だからといって、このことが官僚の影響力が増大することを妨げることには決してならなかった。行政組織は全体としてこれまでは貴族的に無知であったものが、一八二五年以後は、些末で手の込んだものになってしまった。省庁は事務所に変じ、その長と高級官吏は事務屋か写字生になってしまった。文官の勤務について言えば、近衛について言えるのと同様に、救いがたい兵卒になってしまった。あらゆる形式に通じた申し分のない玄人で、上からの命令とあれば有無を言わせず冷酷に執行する連中が、公金横領への愛着のゆえに政務に精勤する。ニコライに必要なのはこのような士官であり、このような行政官だったのである。

兵営と官房がニコライの政治学を支える主たる柱となった。オーストリアの税務官流の心の籠らない形式主義と結びついた、良識を欠いた闇雲《やみくも》な規律——こうしたものがロシアの強力な権力の、世に知られたメカニズムの発条《ばね》なのである。統治思想の何たる貧しさ、専制の何たる卑俗さ、何たる惨めな俗悪さ！　これはデスポチズムの最も単純にして、最も粗野な形式である。

さらには、ベンケンドルフ伯爵をも付け加えよう。これは憲兵隊の隊長——かの武装した異端糾問所、リガからネルチンスクに至る帝国の隅々で聞き耳を立て、盗み聞きをする兄弟たちを擁した警察のフリーメーソンたる憲兵隊の隊長にして、皇帝陛下の官房第三課（スパイの元締めはこう命名されている）の長官で、あらゆることを裁き、裁判所の決定を覆し、あらゆること、とりわけ政治犯の問題には口出しをする、かの長官である。時として、この官房のお白洲には文明が文学者や学生の姿をして引き立てられて来る。彼らは流刑に処せられたり、要塞監獄に閉じ込められたりする。そして、そこへはすぐにまた、別の者が姿を現すのである。

要するに、公式のロシアの有様を見れば、人はただ絶望感を抱くばかりである。こちらでは、ポーランドが引き裂かれ、異様な執拗さをもって切り苛まれている。また、あちらでは、治世の間中、無意味な戦争が続けられている。これはいくつもの軍を飲み込みながら、カフカースの征服は一歩も前に進まない。そして、中央にはどこまでも低俗で無能な政府がある。

だが、国の内部では偉大な仕事が成し遂げられつつあった。それは聞き取れないほどに静かな、しかし、活発で弛みない営みである。至るところに不満が増大し、革命思想はこの二十五年間に、民衆にまで届いていないとは言え、前の世紀の全体におけるよりも、遥かに広く普及しつつあった。

ロシアの民衆は政治生活からは遠いところに居続けていた。そもそも、彼らには国民の別の階層の中で起こっていた仕事に参加しようにも、その理由がなかった。長い苦悩の果てに、彼らは否応なく独特の価値観を持つに至っているのである。ロシアの民衆はそれほどまでに多くの苦しみを耐え抜いてきた。それ故、自分たちの境遇がほんの僅かに改善されたからと言って、彼らには大喜びする謂れがなかったのだ。彼らは継ぎの当たったフロックコートを着ているよりは、むしろ、襤褸を着て、気兼ねなく暮らしていることの方を良しとしていたのである。しかし、彼らが別の階層を捉えたいかなる思想の運動にも加わっていなかったからと言って、それは彼らの心の中で何も起こっていなかった、ということを意味してはいない。ロシアの民衆は以前にもまして息苦しい思いをしており、その眼差しは悲し気である。農奴制の不条理と役人たちの収奪は、彼らにとってますます耐えがたいものとなっている。政府は農作業の組織化を強制することによって、共同体の安静をかき乱した。村々に村警察(スタノヴィエ・プリースタフ)が設置されたことにより、農民は安穏に休んでいる暇もなく、監視の目は彼らの小屋の中にまで及ぶようになってしまったのである。放火犯に対する裁判、地主殺し、農民暴動の件数が目立って増えている。膨大な数に上る分離派の住民がざわめいている。聖職者や警察に搾取され迫害されているために、彼らが団結して事に当たるということはとても考えられないが、それでも、われわれには窺い知れないこれらの死の海から、時として、恐ろしい嵐の前触れのような、不穏などよめきが聞こえてくることがある。われわれが今語っているロシアの民衆の不平不満は、表面を見ただけでは捉えがたい。ロシアは見たところ、何事かが起こりそうだなどとはとても信じがたいほどに、いつも穏やかだ。政府は経帷子によって死体や血痕や処刑を隠しながら、この経帷子の下には死体も血もないなどと白々しい嘘を言っているが、しかし、その下で何が起こりつつあるか、一体誰が知っているだろう。シムビルスクの放火犯について、多くの村々で時を同じくして組織された地主の虐殺事件〔一八三九年〕について、われわれは何を知っているだろう。キセリョーフが導入した新しい施策のせいで発生した各地の暴動について、われわれは何を知っているだろう。権力が大砲に訴えざるを得なかったカザンやヴャトカやタムボフの蜂起〔一八四一―四三年〕について、われわれは何を知っているだろう……。(3)

先にわれわれが触れた知的働きは国家の上層で行われたのでも、その下層で行われたのでもなく、それらの中間、すなわち、主として、小、中の貴族層の間で行われたのである。われわれがこれから語ろうとする諸事実には、大きな意味などないように見えるかもしれないが、プロパガンダというものは、全ての教育と同じように、表立った輝きをもたないものだということを忘れてはならない。とりわけ、それが思い切って日の光の下に自らを曝《さら》け出《だ》そうとしない限りは。

文学の影響力は目覚ましく強まり、以前に比べると遥かに遠くにまで及びつつある。それは自らの使命を裏切ることなく、検閲の下にあってなお可能な限り、おのがリベラルで啓蒙的な性格を保持している。

学習への意欲が若い世代を隈なく捉えている。軍関係あるいは一般の学校、ギムナジウムやリツェイ〔貴族の男子用の中・高等学校〕や専門学校は学ぼうとする者たちで溢れ返っている。どんな貧しい家庭の子弟でも、各種の高等専門学校を目指している。政府は一八〇四年には様々な特権で子供たちを学校に招き寄せていたものだが、今や、あらゆる手立てを尽くして、彼らの流入を抑えにかかっている。入学資格や各種の試験を難しいものにしたり、学費の値上げをしたりしている。文部大臣は法令を発して、農奴身分の者が教育を受ける権利を制限しようとしている。それにもかかわらず、モスクワ大学はロシアの開化の殿堂となりつつある。皇帝はこれを憎み、これに腹を立て、毎年のようにそこで学んだ者たちの一団をまとめて流刑地に送り、モスクワには来るものの、大学には行幸を忝くするという栄誉を与えない。しかし、大学は花盛りで、その影響力は増大しつつある。皇帝の覚えこそめでたくはないが、大学は彼に何も期待することなく我が道を行き、今や真の力となりつつある。モスクワ近傍の諸県の若き精華たちはモスクワ大学を目指し、課程を終えた一大連隊が毎年のように、役人や医師や教師となって、国中に散って行くのである。

諸県の奥深いところ、主としてモスクワでは、役所勤めを拒否して自ら所領を経営し、学問や文学に携わる独立的な人びとの層が、著しく厚さを増した。彼らが政府に望むことが何かあるとすれば、自分たちをそっとしておいてくれということだけである。それは国家勤務や宮廷に結びつけられた、低俗な虚栄心に蝕まれたペテルブルクの貴族階級とは全く対照的な生き方であった。こうした連中はあらゆることを政府に期待しつつ、ただその愛顧によって生きているだけだったのである。何をも恃《たの》まず、自分の独立性を大切にし、地位を求めないということは全て、専制的体制の下では反対派と呼ばれる。

政府はこうした怠け者たちを横目で見ながら、彼らに不満を抱いていた。実際に、彼らはペテルブルクの体制に不快感を抱く、教養ある人びとの中核だったのである。彼らの内のある者たちは何年も外国で暮らし、そこからリベラルな思想を持ち帰った。またある者たちは年に数か月モスクワに行くだけで、一年の残りの部分は自領に閉じこもり、新しく出たあらゆる本を読み、ヨーロッパの知的動向に通暁していた。地方の貴族たちの中では読書は流行であった。彼らは自分のところに書庫があることを自慢し、少なくとも、新しいフランスの小説や、《Journal de Débats(論争新聞)》や、《アウグスブルク新聞》などまで定期購読していた。禁書を持っていることは最高の趣味の良さの証しと見なされていた。きちんとした家で、ニコライの特別の命令によって禁じられていた、ロシアについてのキュスティーヌの本〔『一八三九年のロシア』〕のなかった家を、私は知らない。いかなる活動にも参加できぬままに、秘密警察の脅威に絶えず晒されていた若者は、なおのこと、ただひたすら読書に没頭した。行き渡った思想の総量はいよいよ増えていった。

だが、十四日以後に現れた新しい思想と傾向とはいかなるものであったか。*

＊　概観のこの部分を始めるに当たり、幾分か危惧するところがある。読者は私には全てを語り尽くすことができないこと、多くの場合、人の名を挙げることがで

きないことを理解してくれるだろう。ロシア人について語るためには、彼が亡くなっているかシベリアにいるかを知っておかねばならないのである。私がこの本の公刊に踏み切ったのはよくよく考えた上でのことである。沈黙はデスポチズムを支持することになる。敢えて言いえたことは半分に過ぎないとはいえ、それでもそれは存在しているのである。

一八二五年に続く最初の数年はひどいものだった。人が正気に返り、自分がいかに迫害され隷属状態に置かれた存在であるかに気付くのに、少なくとも十年を必要とした。人びとを広く捉えていたのは深い絶望と落胆であった。上流階級は卑劣で下卑た熱意を持って、あらゆる人間的な感情や開明的な思想と手を切ることに急であった。だが、貴族の家庭で、流刑された者の中に親類縁者を持たない家庭はなかった。喪服を身に着けることを憚ったり、嘆きの言葉を口にしない家庭はほとんどなかった。人びとが奴隷状態のこの悲しむべき光景から顔を背け、何らかの指示と期待を求めて思索を凝らしていたまさにその時、人びとは心を凍らせるような恐ろしい思想に出会ったのであった。

もはやいかなる幻想もあり得なかった。民衆は十二月十四日の観客であり続けたが、意識ある人は皆、民族的ロシアとヨーロッパ化されたロシアとの間にある完全な分断の恐ろしい帰結を見た。二つの陣営の間の生き生きとした結びつきは全て断ち切られている。これを修復するにはどうしたよいのか。これこそが大問題であった。ある者たちは、ロシアがヨーロッパの引き綱を付けている限り、何も成し遂げられないと考えた。彼らは自分たちの期待を未来ならぬ、過去へ立ち返ることに賭けた。別の者たちは、未来にただ不幸と荒廃だけを見た。彼らは中途半端な文明と、あらゆることに無関心な民衆を呪った。思索する全ての人びとの心は、深い哀しみに捉えられていた。

隷従と苦悩の荒野に、ただプーシキンの歌だけが広く響き渡っていた。この歌は過ぎ去った時代を引き継ぎ、雄々しい響きによって現在を満たし、その声を遠い未来に送っていた。プーシキンの詩は保証であり慰めであった。絶望と頽廃の時代を生きる詩人たちはこのようには歌わない。プーシキンの歌は葬列にはふさわしくないのだ。

プーシキンの霊感は彼を欺かなかった。恐怖に慄《おのの》く心に向かって勢いよく流れ込んだ血潮は、そこだけには止まらなかった。やがて、それは外に向かっておのれを知らしめることになったのである。

早くも一人のジャーナリストが現れ、怖気づいた者たちを一つにまとめようと、勇敢にも声を上げた。人生の若き日々を故郷のシベリアで過ごしていたこの男は、商業を営んでいたものの、それにもすぐに飽き、読書に熱中するようになった。勉強する場を持たなかった彼は、フランス語もドイツ語も独学で学び、モスクワへと出て来た。ここでも彼は協力する者も知る者も持たず、文学の世界に名を知られているわけでもなかったにもかかわらず、月刊の雑誌を刊行しようと思い立った。やがて、彼は論文を書き、多方面にわたる百科全書的な知識で読者を驚かせた。彼は大胆にも法律や音楽、医学やサンスクリット語について書いたのである。彼の専門分野の一つにロシア史があった。しかし、だからと言ってそれは彼が短編小説や長編小説、さらには批評論文を書く妨げとはならなかった。そして、彼はこの批評論文によって間もなく大成功を収めた。

ポレヴォーイの書いたものの中に学識や哲学的深みを求めても無駄だが、彼にはどんな問題にも自分のヒューマンな側面を盛り込むことができた。彼の共感はリベラルであった。彼の雑誌《モスクワ・テレグラフ》〔一八二五―三四〕は大きな影響力を持った。彼が最も暗い時代に出版活動を行っていたということを思えばなおのこと、彼の功績には大なるものがあると認めなくてはならない。蜂起の翌日、処刑の前夜に、一体何を書き得ただろう。ポレヴォーイの置かれた立場は極めて困難なものだった。彼を迫害から救ったのは、当時はまだ彼が無名だったということだった。この時代に物を書く人の数は少なかった。物を書ける人間の半分は流刑地にいたし、後の半分は口を噤《つぐ》んでいた。シャムの双生児にも似たグレーチとブルガーリンのような一握りの変節者たちだけが政府と結託し、十二月十四日の事件との関係を償おうと、これに関与した友人たちを密告したり、自分たちの指令によりグレーチの印刷所で革命文書の組版を作った植字工をいなかったことにしたりしていた[4]。当時のペテルブルクのジャーナリズムを支配していたのは、もっぱらこうした連中だったのである。それは文学というよりは警察のやることだった。ポレヴォーイは一八三四年まではあらゆる反動に抗して、おのれの大義を裏切ることなく踏み止まっていることが出来た。われわれはこのことを忘れるべきではない。

ポレヴォーイはロシア文学を民主化し始めた。彼は文学が貴族的な高みから下りてくることを余儀なくさせ、これをより民衆的に、少なくとも、よりブルジョア的にした。彼の最大の敵は文学上の権威者たちであった。彼はこの連中に痛烈な皮肉を容赦なく浴びせかけた。権威を根絶することを革命的行為と見なしたポレヴォーイは、完全に正しかった。大家たちの名前やスコラ哲学の権威者たちの重圧から自由になりえた者は、もはや宗教の奴隷や社会の奴隷でいることは全く出来ないと、彼は考えたのである。ポレヴォーイ以前の批評家たちにも、時として――仄《ほの》めかしに止めたり、言い訳を色々と添えたりしながらも――デルジャーヴィンやカラムジーンやドミートリエフに向かって、当たり障りのないことを書く程度の勇気はあった。もっとも、その場合でも、彼らの偉大さについては議論の余地はないと認めつつ、ではあったが。ところが、ポレヴォーイは最初から彼らと対等に振る舞い、尊大と独断に満ちたこれらの大家たち、これらの偉大な巨匠たちに批判を浴びせかけ始めたのである。詩人にして先の法務大臣たる老ドミートリエフなどは、国中の者がその功績を認める人びとへの畏敬の念を持たないポレヴォーイが持ち込んだ文学上の無政府状態について、悲し気に、そして恐ろし気に語ったものだ。

ポレヴォーイは文学的権威のみならず、学者たちをも攻撃した。どこでも勉強したことのないシベリアの一介の商人たる彼が、不遜にも、彼らの学問に疑義を呈したのである。ex officio〔職業として〕学者たる彼らは、功成り名を遂げた白髪頭の文学者たちと手を組み、不穏なジャーナリストを相手取ってお定まりの戦争を始めた。

読者層の好みを知っているポレヴォーイは、敵たちを辛辣な論文でやっつけた。学問的反論に対しては、彼は冗談で答え、退屈な議論には不躾な哄笑で答えた。読者たちがこの論争の成り行きをどれほど興味深く見守っていたか、とても想像できないだろう。どうやら、読者たちはポレヴォーイが文学上の権威たちを攻撃しながら、実は別の権威をも念頭に置いていることを理解していたようだ。実際に、彼はあらゆる機会を捉えて、デリケートな政治問題に言及し、驚嘆すべき狡猾さをもって、これをやってのけたのである。彼はほとんどあらゆることを語った。しかし、自分に言いがかりを付けられるような言質は、決して与えないように語った。検閲は言説をカモフラージュする文体や技巧を発達させるうえで、極めて大きな役割を果たしたと言わねばならない。侮辱的な障害に苛立った人間はこれを克服したいと思い、そして、ほとんど常にそれに成功するものだ。寓意的な言辞には、内心の葛藤と闘いの痕跡がある。そこには単純な語り口にあるよりは大きな情念がある。暗示は覆いの下にある時に、より大きな力を発揮する。この覆いの下にあるものは、これを理解しようと思っている者には、いつでもお見通しなものだ。圧縮された言説は含意が豊かで、より辛辣である。思想がよく分かるように、そして、それを表すための言葉は読者自身に見つけさせるように語ること――これは人を説得するための最良の方法である。暗示は言葉の力を倍加させるが、剝き出しの言葉は想像力を抑制する。筆者がどれほど用心深くなければならないかを知っている読者は、彼の書いたものを注意深く読む。読者と著者の間には秘密の絆が出来上がる。一方は自分が何を書いているかを隠すが、他方は自分が何を理解しているかを隠す。検閲というのは蜘蛛の巣のようなもので、小さなハエなら捕まえられるが、それより大きなものには食い破られてしまう。個人のことを暗示したり攻撃したりすれば、これは〔検閲の〕赤インキの下で死んでしまうが、力のある思想や本物の詩はこのクロークを、精々ほんの少しブラシをかけさせただけで、せせら笑って通過して行く。*

＊　一八四八年の革命後、ニコライは検閲のマニアとなった。彼は通常の検閲と、ロシア語で

書く者などいないヤシやブカレストといった領土の境界の先に置いた二つの検閲所とでは満足できず、ペテルブルクにさらに第二の検閲機関を創った。われわれは、二重の検閲が単純な検閲よりも有益であることを期待したい気がする。ロシアの外でロシア語の本を印刷するような時が来るだろうし、それはもう為されつつあるのだ。自由な言論と皇帝ニコライのどちらがうまくやるか、これは見ものだ。

《テレグラフ》誌と共に雑誌がロシア文学を支配する時代が始まる。雑誌は国の知的動向を全て取り込んでいる。本を買う人は少ないが、雑誌には最良の詩や小説が登場する。だから、ロシアの読者たちのように、各地に散らばった読者層の関心を引くためには、プーシキンの詩とかゴーゴリの小説といった、一頭抜きんでた何かを必要とした。イギリスを除けば、雑誌の影響力がこれほど大きな国はどこにもないだろう。これは実際に、広大な国に啓蒙を行き渡らせる上で最良の手段である。《テレグラフ》、《モスクワ通報》、《テレスコープ》、《読書館》、《祖国雑記》、それに、これらの私生児とも言うべき《現代人》は、それぞれ傾向が極めて異なっているにもかかわらず、この二十五年間、膨大な量の知識や観念や思想を普及してきた。これらの雑誌のおかげで、オムスクやトボリスクといった〔シベリアの〕諸県に住む者たちでも、ディケンズやジョルジュ・サンドの小説をロンドンやパリで出てから二か月後には、もう読めるようになった。定期的に刊行されるという、まさにそのことが、怠惰な読者の目を覚まさせるという効用を持ったのである。

ポレヴォーイは《テレグラフ》を一八三四年までは何とか刊行し続けた。しかしながら、ポーランド革命の後、進歩的思想に対する抑圧は強化された。勝ち誇った絶対主義はあらゆる羞恥心、あらゆる慎みをかなぐり捨てた。生徒たちの悪戯までもが武装蜂起と見なされて処罰され、十五、六の子供たちが流刑に処せられたり、終身の兵卒にされたりした。モスクワ大学の学生で、詩的作品ですでにその名を知られていたポレジャーエフが幾編かのリベラルな詩を書いた。ニコライは彼を裁判にかけず、直接呼び寄せ、詩を朗読するように命じ、彼に接吻して、[5]一兵卒として連隊に送った。こんな愚かしい処罰の仕方など、ロシアの軍隊を矯正所か徒刑所と見なす、常軌を逸した政府の頭にしか浮かばないだろう。八年後に、兵卒ポレジャーエフは陸軍病院で没した。これから一年後に、これもモスクワ大学の学生であったクリーツキー兄弟が懲罰部隊送りになった。その理由というのは——わたしが間違っていなければ——皇帝の半身像を壊したからだという。それ以後、彼らのことを耳にした者は誰一人としていなかった。一八三二年には、こちらは秘密結社という口実の下で、十二人の学生たちが逮捕され、すぐにオレンブルクの守備隊に送られた。(6)ここで彼らはルター派の牧師の息子、ユーリー・コリレイフとも一緒になった。彼は一度もロシアの臣民であったことはなく、音楽以外の仕事には一度も就いたこともなかったが、友人を密告することを自分の義務とは心得ないと、決然と言ってしまったのであった。一八三四年には、われわれ、すなわち、私と友人たちが監獄に放り込まれた。八か月後には書記にされて僻遠の諸県の役所に送られた。われわれに対する嫌疑というのは、秘密結社を作ろうと意図し、かつ、サン・シモン主義を宣伝しようとしていた、ということであった。忌々しいお遊びとして、われわれには死刑判決が読み上げられたが、その後、例によって本来ならばあり得ないほどの御慈悲をもって、われわれへの懲治的措置として、ただ流刑に処すに留めるとされた旨、宣告された。この刑は五年以上も続いた。

この同じ一八三四年に《テレグラフ》が発禁となった。雑誌を失ったポレヴォーイは途方に暮れた。彼の文学的な試みはうまく行かなくなった。焦り絶望した彼はモスクワを捨て、ペテルブルクに居を移した。彼の新しい雑誌(《祖国の息子》)の最初の数号は悲しい驚きをもって迎えられた。彼は手なずけられ、へつらうようになった。この大胆な闘士、最も困難な時代に自分の持ち場を守り続けることが出来たこの疲れを知らぬ働き手が、雑誌を閉鎖されるやすぐに、己の敵と和解してしまった姿を見るのは悲しかった。

ポレヴォーイの名をグレーチやブルガーリンの名前と共に耳にするのは悲しかった。秘密警察や下僕的役人たちの喝采を受けた彼の戯曲の上演に居合わせるのは悲しかった。

　ポレヴォーイは自分が堕落していることを感じていた。このことに彼は苦しんだ。彼は打ちひしがれた。彼は身の証しを立て、この偽りの状態から抜け出そうと願った。しかし、彼にはもはやその力はなかった。彼は政府から見ればただ自分を傷つけているだけで、読者たちにとっては何ら得るところはなかった。振る舞いによってというよりは、その性格によって高潔であった彼は、この闘いに長く耐えることができなかった。やがて、彼は自分の仕事をすべて乱雑に放置したまま、亡くなった。彼の譲歩はすべて何ももたらさなかったのである。

　ポレヴォーイの仕事を継ぐ者が二人いた。センコーフスキーとベリンスキーである。ロシアに帰化したポーランド人で、東洋学者にしてアカデミー会員でもあったセンコーフスキーは、大変才能ある作家で沢山の仕事をしたが、彼は意見というものを全く持たない人だった(もっとも、これは「意見」ということを人びとや物事、信念や理論への深い軽蔑と呼ばない限りでのことだが)。センコーフスキーは、一八二五年以降にロシア社会が身に着けた精神の襞を真に体現する人であった。それは――輝いてはいるけれども冷たい表層、しばしば背後に良心の呵責を隠した軽蔑するような微笑、一人ひとりの先行きに確信が持てないだけに大きくなった享楽への渇望、嘲笑するような、しかし、悲し気な物質主義、獄中の人間の気詰まりな冗談、といったものだ。

ベリンスキーはセンコーフスキーとは全く対照的な人であった。こちらはモスクワの若い学生を典型的に代表していた。彼らの疑問と思索の殉教者にして熱血漢、弁証法における詩人にして自分を取り巻くあらゆるものに傷つけられた彼は、内なる葛藤で身を焼き尽くした。この人はロシアの専制体制の永遠に変わらぬ惨状を前にして、憤怒に身震いしていたのだった。

センコーフスキーは雑誌を儲け仕事として始めた〔一八三四年《読書館》を創刊〕。われわれはこの雑誌に政府の何らかの傾向を認めようとする人たちと、必ずしも意見を共にするものではない。これはロシア中で貪るように読まれた。権力におもねるように書かれた新聞や本なら、こうは読まれなかっただろう。この伝からすれば、警察の庇護を忝くしていた《北方の蜜蜂》〔一八二五―六四年〕などは、見たところ例外といえるかもしれないが、しかし、これは唯一の政治的雑誌ではあったが、検閲のお目こぼしに与った非官製の雑誌だった。この雑誌の成功はこのことによって説明される。しかし、官製の新聞が幾つも出て、これらにそこそこの編集者が付くようになるとすぐに、《北方の蜜蜂》は読者から見捨てられた。政府との致命的で卑屈な結びつきの下には、いかなる栄光やいかなる名声もありえないのだ。ロシアではものを読む者は全て、権力を憎む。権力を愛する者は全くものを読まない。あるいは、読むとしても、フランスの三文小説くらいだ。ロシア最大の光明たるプーシキンですら、コレラの流行が終息した時にニコライに送った賛辞の故に、そしてまた、二つの政治詩〔「ボロジノー記念日」「ロシアを誹る者たちに」〕の故に、人びとに、一時拒否されたものだ。ロシアの読者の偶像たるゴーゴリも、媚びへつらうような冊子〔『友人との往復書簡選』(一八四七年)〕を書いた時、一気に深い蔑みの中に落ちた。ポレヴォーイも、彼が政府と手を結んでしまったその日の内に、姿を消した。ロシアでは変節者は許されないのである。[7]

センコーフスキーはリベラリズムについても学問についても軽蔑的に論じたが、さりとて、別のことに敬意を抱いていたというわけではなかった。彼は自分を最高度に実際的な人間と思っていた。と言うのも、理論的唯物論を宣伝していたからだ。しかし、理論家の常として、彼は自分より抽象的に思索しながら、しかし、燃えるような確信を持った別の理論家たちに凌駕された。こちらは実際的を口にするだけの者よりは比べ物にならない位に実際的で、行動的だったからだ。

人にとって最も神聖なものをすべて笑いものにすることによって、彼は無意識のうちに人びとの心の中で君主制の理念を壊した。心地よい生活や感覚的充足を説くことによって、彼は人びとを、いつも憲兵や密告やシベリアのことを考えながら人生を楽しむことなど出来ない、恐怖は居心地が悪い、どこで寝ることになるのか分からないなら、おいしく食事できる者などいないといった、単純な思想に導いたのである。

センコーフスキーは時代の子であった。新しい時代への出口を掃き清めようとして、彼は埃と一緒に貴重なものも掃き出してしまったが、しかし、彼は自分では理解できない別の時代のための地均《じなら》しをしたのである。彼自身、このことを感じていた。そして、文学に何か新しく生き生きとしたものが頭角を現すや、彼は帆をたたみ、早々と身を隠したのであった。

センコーフスキーの傍らには若い文学者たちのサークルがあったが、彼は彼らのセンスを駄目にしてしまった。彼らが導入したスタイルは、初めのうちこそ輝いて見えたが、やがて、偽物であることが分かった。ペテルブルクの、と言うよりは、いっそのことワシリー島の、*と言うべき詩の中で、クーコリニク、ベネディークトフ、チモフェーエフといった連中が描き出したヒステリックな形象には、生き生きとした現実的なものは何一つとしてなかった。この種の花が咲けるのは、ただ玉座の足元かペトロ・パウロ要塞の庇の下だけだ。

＊ カルチェ・ラタンに似て、主として町の他のところでは知られていない文学者や芸術家た

ちの住む場所である。

発禁処分を受けた《テレグラフ》に代わって、モスクワで《テレスコープ（望遠鏡）》誌が出始めた〔一八三一―三六〕。これは先行誌ほど長続きしなかったが、その代わり、その死は真に栄光に満ちていた。有名なチャアダーエフの書簡〔『哲学書簡』〕が載ったのは、まさにこの雑誌に他ならない〔一八三六年〕。雑誌は即時に停刊とされ、検閲官は職を解かれ、編集者は〔シベリアの〕ウスチ・スィソリスクに流された。この書簡の公刊は最も重要な意義を持つ事件の一つであった。それは挑戦であり、目覚めの徴《しるし》であった。書簡は十二月十四日の後の氷を破砕した。苦悩に溢れた魂を持った人が遂に現れたのだ。彼は十年にわたり教養あるロシア人の心中で耐えがたいまでに鬱積されていた想いを全て、不吉な雄弁と重苦しいほどの冷静さとをもって語るための、恐ろしい言葉を見出したのである。この書簡は自分の諸権利を、相続人たちへの愛の故にではなく、嫌悪感の故に放棄する人の、遺言状であった。著者はロシアに、家畜的状態から脱出しようという勇気を持った人間に、それが蒙らせてきたあらゆる苦悩への決算書を、厳しく、そして冷たく求めている。彼はかかる犠牲を払ってわれわれが得ようとしているものは何か、何の報いでこんな状況に陥ってしまったのか、それを知りたいと願っている。彼はこのことを、絶望をすら恐れない断固たる洞察力をもって分析している。そして、この生体解剖を終え、おのれの国の過去、現在、そして未来をも呪いながら、彼はぞっとして顔を背けているのである。そう、こんな暗い声が発せられたのは、ただ、ロシアに、お前は未だかつて人間的に生きたことはなかった、お前は「人間的意識における空白に過ぎない、ヨーロッパにとって教訓となる見本に過ぎない」と言って聞かせるためだった。彼はロシアに向かって、お前の過去は無益であった、現在は無意味である、そして、いかなる未来もお前には無い、と言ったのである。

チャアダーエフに同意しないまでも、それでも、われわれはどんな道を辿って彼がこんなに暗い、絶望的な見方に行き着いたかは理解できる。ましてや、これまでの諸々の事実は、彼の言うところを裏付けているのだからなおのことだ。われわれは信じている。だが、彼は非難するばかりだ。われわれは期待している。だが、彼は自分の言っていることの正しさを示すために、新聞を広げて満足しているだけだ。チャアダーエフが到り着こうとしている結論は、いかなる批判にも耐えない。だが、この書簡の重要なる所以はこのことにあるのではない。この書簡が意義を持つ所以は、心を揺り動かし、これに重い印象を長く残す、厳しい怒りのもつ抒情性である。著者は厳しすぎると言って非難された。しかし、この厳しさにこそ、何にもまして彼の大きな功績があるのだ。われわれには情けも容赦も必要はない。われわれは余りにも早く自分たちの置かれた境遇を忘れる。われわれは牢獄の壁の中にあってすら、余りにも早く寛《くつろ》ぐことに慣れてしまったのだから。

この論文は悲痛な叫びと驚愕をもって迎えられた。それは人をたじろがせた。それはチャアダーエフに共感を抱く人たちをさえ傷つけた。だが、それでもこの論文はただ、われわれ一人ひとりが心にぼんやりと抱いていた不安を言い表しただけのことだったのだ。人間の高潔な精神の高揚に、ただ苦痛のみをもって応えるこの国、ただ迫害に晒すためにのみ、われわれに目覚めを急がせるようなこの国、こんな国を満腔の怒りを込めて憎むような時を、われわれの一体誰が体験しなかっただろうか。地上の四分の一を占めているこの牢獄から、あらゆる警察の署長がツァーリで、ツァーリこそが帝位についた警察署長であるような、そんな醜怪な帝国から永久に逃げ出したいと、われわれの一体誰が願わなかっただろうか。こんな凍てついた氷のような地獄のことを忘れられるものなら忘れようと、ほんの短い間なりとも酔って気を紛らせようと、ありとあらゆる欲情に、われわれの一体誰が身を任せなかっただろうか。今やわれわれはあらゆることを別の目で見ようとしている。われわれはロシアの歴史を別の観点から見直そうとしている。しかし、われわれはこの絶望の時を拒否し、悔い改めねばならない理由を持たない。

われわれはこれらを忘れるためには、あまりに高い代償を払ってきたのだから。それらはわれわれの権利であり、抗議であり、そして、それらこそがわれわれの救いだったのだ。

チャアダーエフは沈黙した。しかし、周囲が彼をそっとしては置かなかった。ペテルブルクの貴族たちは(と言っても、ベンケンドルフやらクレインミーヘルといった輩だが)ロシアのためにいきり立った。宗教庁長官という偉い地位にあるドイツ人のヴィゲルまでもが——彼はたしかプロテスタントであったと思うが——、ロシア正教のために腹を立てた。皇帝はチャアダーエフが精神錯乱に陥ったと宣告するように命じた。この趣味の悪い笑劇はチャアダーエフの敵たちをすら彼の味方にした。モスクワにおける彼の影響力は大きくなった。貴族階級までもがこの思想家の前に頭を垂れ、彼を敬意と関心で包み、そうすることによって、皇帝の冗談をまともには受け取ってはいないということをはっきりと示した。

チャアダーエフの書簡は招集ラッパのように響き渡った。合図は為されたのだ。そして、あらゆる方面から新しい声が聞こえて来た。舞台には若い闘士たちが登場し、この十年間に黙々と為されていたことを証した。

十二月十四日(二十六日)は過去を余りにもはっきりと切り離したので、この事件に先立つ文学はそのままではいられなくなった。この偉大なる日の翌日には早くも、一八二五年の夢と思想に満ちた青年、ヴェネヴィーチノフの出現を可能にした。しかし、絶望は、怪我の痛みと同じようには、すぐに感じられないものだ。彼は崇高な言葉を幾つか口にしただけで、すぐに消えた。それはあたかも、温暖の地の花がバルト海の氷のような空気に触れて萎《しぼ》んでしまうのに似ていた。

ヴェネヴィーチノフは新しいロシアの雰囲気の中で生き抜く力に欠けていた。この邪《よこしま》な時代に耐えるためには、別の体質を持つ必要があった。この厳しい絶え間ない北風には、子供の頃から慣れていなくてはならなかった。答えのない疑問、この上なく苦い真実、自分自身の弱さ、日々繰り返される侮辱と折り合って生きて行かねばならなかった。魂を揺さぶるあらゆることを押し隠しながら、そこに埋めたものを何一つとして失わないばかりか、逆に、心の底に積もったあらゆることを沈黙の憤りの中で熟成させる術は、年端の行かぬ幼いころから身につけて置かなくてはならなかった。愛の故に憎み、人間性の故に侮蔑することが出来なくてはならなかった。手足に枷をはめられながら、頭を高く掲げて生きて行くためには、限りない誇りを持っていることが必要だったのである。

一八二五年以降に現れた『オネーギン』の詩行の一つひとつは、いよいよその深さを増した。詩人のもともとの計画は屈託のない穏やかなものであった。彼はこの計画を別の時代にスケッチしたのだ。当時詩人を取り巻いていたのは、皮肉はあったが、しかし、善意に満ちた明るい笑いを好んだ社会であった。『オネーギン』の最初の歌の数々には、グリボエードフの毒はあるが誠実な喜劇を思わせるものも沢山あるのだ。しかし、涙も笑いも、すべて変わってしまったのである。

私が念頭に置いているのは、ロシア詩の新しい時代を代表する二人の詩人——レールモントフとコリツォーフである。これは反対の方向から聞こえてくる二つの力強い声であった。

プーシキンとレールモントフの比較ほど、一八二五年以降の思想に起きた変化を明瞭に証明するものはあり得ない。プーシキンはしばしば不満げであり悲しげであり、腹を立て憤懣に満ちてはいるが、それでも和解する用意はある。彼は和解を望んでいる。彼は和解への期待を失ってはいない。彼の心の中ではアレクサンドル帝の時代〔一八〇一—一八二五〕の想い出の絃が震え続けているのだ。レールモントフの方は絶望と敵意に余りにも慣れていたので、出口を探そうとしないばかりか、闘うことも、妥協することも出来るとは思わない。彼は希望というものを知らない。彼は献身ということを知らない。というのは、こんな献身を求めるものは何もなかったからだ。彼はペステリャルィレーエフのように、刑吏に向かって頭を昂然と差し出すというようなことはしない。何故ならば、犠牲の効用を信ずることが出来なかったからだ。彼は身をかわし、他愛もないことで身を滅ぼした。

プーシキンを殺めた一発の銃弾が、レールモントフの魂を目覚めさせた。彼は力強い詩を書き上げた。その中で決闘に先立つ卑劣な陰謀――文学者の大臣やジャーナリストのスパイたちによって仕組まれた陰謀――を糾弾し、若者らしい憤りの声を上げた。「復讐を、陛下よ、復讐を！」〔レールモントフ「詩人の死」の一節〕信条にそぐわない唯一の行為を、詩人はカフカースへの流刑によって贖《あがな》った。これは一八三七年に起きたことだが、一八四一年には、彼の肉体はカフカース山脈の麓の墓穴に下ろされた。

今わの際に汝が言ったことは、
聞こうとしたものの誰にも分からなかった
……汝の最後の言葉の
深くて苦い意味は
失われた……*

＊　オドーエフスキー公の想い出に捧げられたレールモントフの詩。オドーエフスキー公は十

二月十四日の事件に連座し、カフカースで兵卒として没した。

幸いなことに、レールモントフがその人生最後の四年間に書いたものは、われわれにとって失われてはいない。彼はあらゆる点でわれわれの世代に属している。われわれは皆、十二月十四日に参加するには余りにも若すぎた。これらの偉大な日々によって目を覚まされたわれわれがそこに見たものは、処刑と流刑だけであった。われわれは沈黙を強いられ、涙を堪《こら》え、ただひたすら内に閉じこもって、おのが思想を育む術を学んだ。そして、それはどんな思想であったか。それはもはや開明的な自由主義の思想でも、進歩の思想でもなかった。それは懐疑の思想であり否定の思想であり、憤怒の思想であった。こうした感情に慣れきってしまったレールモントフには、抒情性に中に、プーシキンが見つけたような救いを見出すことが出来なかった。彼は夢想と享楽の中でスケプチズムの重荷を引きずっていた。雄々しい、しかし、悲しい思想が彼の額には常に刻まれている。その思想は彼のどの詩をも貫いている。これは詩の花で自分を飾ろうとする抽象的な思想ではない。否、レールモントフにとって考えるということは詩を書くことであり、苦しむことであり、そこにこそ彼の力があるのだ。*バイロンへの彼の共感には、プーシキンにおけるよりも深いものがあった。しかし、彼の場合、その豊かな洞察力が災いして、他のこと、すなわち、多くのことについて、虚飾を排して情け容赦なく語る大胆さも付け加わってしまった。こうしたことで傷つけられると、弱い者たちはこのような率直な口の利き方を許さないものだ。レールモントフは貴族の甘えん坊の末裔とか、退屈と飽食に身を滅ぼす無為徒食の輩の一人と言われ、この男がおのれの思想を大胆に口にする前にどれほど闘ってきたか、どれほど苦しんできたかを、誰一人として知ろうとはしなかった。人びとというものは、思想のある種の成熟や、自分たちの希望や心配事を分け合おうとはせずに決裂を昂然と口にする孤立よりも、悪口や敵意の方を、遥かに寛大に容赦するものだ

＊　レールモントフの詩にはボーデンシュテット氏による優れたドイツ語訳がある。彼の小説『現代の英雄』はショパン氏によってフランス語に訳されている。

流刑を再度言い渡され、レールモントフがペテルブルクを去ってカフカースに赴く時、彼は疲れ果てていた。そして友人たちに、自分はできるだけ早く死に場所を見つけるつもりだと言った。彼は自分の言葉を守ったのだった。

つまるところ、これほどまでの犠牲を必要とし、自分の子供たちに、ただあらゆる人間的なものに敵対する環境の中で道徳的に身を亡ぼすか、あるいは、おのが人生の明け

初めぬ内に死するか、どちらかを選ぶことを余儀なくさせるロシアと呼ばれるこの化け物は、一体何者なのだろう。これはいかなる手練《てだ》れた水主《かこ》をも引きずり込まずにはおかない底知れぬ淵だ。そこではいかなる大きな努力も、いかなる大きな才能も、いかなる大きな能力も、それらが何事かを成し遂げる得る前に、すべて飲み込んでしまうのだ。

だが、国民〔ナーツィア〕の最も奥深いところから、コリツォーフのような詩人の声が聞こえてくる時に、そこには芽生えつつある力があるということを、どうして疑うことができるだろうか。

一世紀、あるいは一世紀半もの間、人びとはただ古い歌、あるいは、エカテリーナ二世の治世の前半に大量に作られた奇態な歌ばかりを歌ってきた。確かに、今世紀の初めに、民謡をかなりうまく真似た作品が幾つか生まれたが、これらの技巧的な作品には本物らしさがなかった。これらは恣意的な作り物だったのである。だが、まさにその農村ロシアの内懐の奥深くから、新しい歌が生まれ出たのだ。これらの歌を霊感豊かに歌ったのは、草原で家畜の群れを追っていた牧人であった。コリツォーフは真に民衆の子であった。彼はヴォローネジに生まれ、十歳まで教区の学校に通っていたが、そこで学んだのは正しい綴り方抜きに読んだり書いたりすることだけであった。家畜を商っていた彼の父は、息子にも同じ仕事に就くように強いた。コリツォーフは数百露里も群れを追って歩き、そのおかげで放浪生活に慣れた。彼の最良の歌にはこの時の生活が反映されている。若い牛飼いは書物を愛した。そして、彼はロシアの詩人の誰やらの作品を繰り返し読み、これらをお手本としたが、そうした模倣の試みは彼の詩的本能を歪めた。しかし、彼の本当の天分が遂に目覚めた。彼は民衆の歌を書いた。その数は多くはないが、いずれも至宝である。これは真にロシアの民衆の歌である。そこに見出されるのは、それらの特徴となっている憂愁であり、胸を締め付ける哀しみであり、若々しい勇気である。コリツォーフは、ロシアの民衆の魂には豊かな詩情が隠れており、長く深い眠りの後になお、その胸の中には何か生き生きとしたものが残されている、ということを示した。わが国にはまだ他にも、出自を民衆に持つ詩人や政治家や芸術家たちがいる。しかし、彼らは言葉の文字通りの意味で民衆から出てしまい、彼らとのあらゆる結びつきを断ってしまった。例えば、ロモノーソフは白海の漁師の息子であったが、勉強したくて家郷を出奔、神学校に入り、それからドイツに行き、そこで民衆であることをやめた。彼と農民ロシアとの間には、血縁の人びとの間にある結びつき以外、もはや共通のものは何もない。コリツォーフの方は家畜の群れのもとに、父の仕事のもとに居続けた。父は彼を嫌い、親族と一緒になって彼の人生を辛いものにした。こうして彼は一八四二年に亡くなった。コリツォーフとレールモントフはほとんど時を同じくして文壇に出でて、そして、共に亡くなった。彼ら亡き後、ロシアの詩は言葉を失った。

しかし、散文の領域は著しく活性化し、別の傾向が現れた。

ゴーゴリはその氏素性から言えば、コリツォーフと異なり民衆の出ではなかったが、嗜好や物の見方感じ方においては民衆である。ゴーゴリは外国の影響からは全く自由である。彼は文名を挙げた後になっても、いかなる外国の文学も知らなかった。彼は小ロシア人にとって当然のことながら、宮廷の生活よりも民衆の生活に共感を抱いていたのである。

小ロシア人というのは、貴族に列せられても、ロシア人ほど民衆との結びつきをきっぱりと断つことはない。彼は故国を、その言葉を、コサックやヘトマン〔コサックの頭目〕たちについての伝承を愛している。未開で好戦的ではあったが、共和的で民主的でもあったウクライナはその独立を、数世紀にわたり、ピョートル一世の時代に至るまで維持していた。小ロシア人はポーランド人やトルコ人やモスクワ人に引き裂かれ、クリミア・タタールとの絶え間ない闘いに引き込まれてはきたが、未だかつて屈服したことはなかった。大ロシアと自ら進んで一つになった時〔一六六七年〕、小ロシアはかなり特恵的な権利を取り付けた。ツァーリ、アレクセイはこれらの権利を尊重することを誓った。ピョートル一世はマゼーパの裏切りを口実に、これらの特権の内、ほんの見せかけのものしか残さなかった。エリザヴェータとエカテリーナ〔二世〕はこの地に農奴制を導入した。不幸な国は抵抗した。しかし、北から黒海まで駆け下り、ロシア的な名の付くあらゆるものを、一様な冷たい奴隷制という経帷子で蔽った破壊的な雪崩を前にして、小ロシアはどうして抵抗できただろうか。ウクライナは、ずっと後になってのことだが、ノヴゴロドやプスコフと同じ運命に耐えている。しかし、農奴状態が一世紀に及んだとは言え、この勇敢な民族の中の独立的で詩的なもの全てを無に帰せしめることはできなかった。そこにはわれわれより個別的発達があり、地域の色合いはわが国よりは遥かにくっきりとしている。わが国にあっては、人びとの生活は区別なく惨めな画一性に覆い尽くされている。わが国の人びとは不条理な宿命の前に頭を垂れるために生まれ、子供たちにも同じような夢のない生活を一から始めさせたまま、跡形も残さずに死んで行く。小ロシアではどんな小さな村にもそれぞれの伝承があるのに対して、わが国の民衆は歴史を知らない。ロシアの民衆はただプガチョフと一八一二年の想い出を持つばかりなのである。

ゴーゴリのデビュー作となった数々の小説に描かれた小ロシアの風俗や風景の描写は実に美しく、明るさと優雅さと活力と、そして愛情に満ち満ちている。このような作品は大ロシアにはもとになる題材がないから不可能である。わが国の場合、民衆の生活の舞台は読者を滅入らせるような暗く悲劇的な性格を、すぐに持ってしまうのである。私が「悲劇的」と言っているのは、ラオコーン的な意味でだが、これは人間が闘わずして屈してしまう、運命の悲劇である。悲哀はここでは怒りと悲嘆に、笑いは憎しみに満ちた苦々しいアイロニーに変わってしまう。〔グリゴローヴィチの〕優れた中編小説『アントン・ゴレムィカ』〔一八四七年〕やツルゲーネフの傑作『猟人日記』〔一八五二年〕を憤りと恥ずかしさに身震いせずして読める者が、果たしているだろうか。

ゴーゴリが小ロシアを出て中部ロシアに近付くにつれて、彼の作品の中から素朴な心をもった気品のある形象が消えてゆく。そこにはもはやタラス・ブーリバのような、半ば野性的な主人公はいない*。「昔気質の地主たち」〔「タラス・ブーリバ」と共に、小説集『ミルゴロド』〔一八三五年〕の中の一編〕で見事に描かれているお人よしの家父長的老人もいない。モスクワの空の下で、彼の心の中にある全てのものが暗く、どんよりとした、敵意を含んだものになってしまう。彼はいつも笑っている、むしろ、これまで以上に笑っている。しかし、それは別の笑いである。この笑いの違いを見誤るのは、よほど心の硬直した人びとか、あるいは、よほどおめでたい人たちだけだ。対象を小ロシア人やコサックからロシア人に変えてからというもの、ゴーゴリは民衆を脇に置き、彼らの二つの不倶戴天の敵――役人と地主を描き始める。ロシアの役人の病理をこれほど完璧に解剖して見せた者は、彼以前には誰一人としていない。唇に笑みを浮かべながら彼は、この不潔で邪な心の奥底の秘められた暗部の隅々にまで、容赦なく切り込んでゆく。ゴーゴリの喜劇『検察官』〔一八三六年〕や長編『死せる魂』〔第一部、一八四二年〕は、十七世紀におけるコシーヒンの摘発と好一対をなす、現代ロシアの恐るべき告白である。**

* ゴーゴリの『タラス・ブーリバ』と『昔気質の地主たち』と幾つかの短編はヴィアルドによってフランス語に訳されている。『死せる魂』にはドイツ語訳がある。

** ピョートルの父、アレクセイ時代のロシアの外交官。ツァーリの追及を恐れてスウェーデンに逃れたが、殺人罪によりストックホルムで断首刑に処せられた。〔正確には「コトシーヒン」〕

『検察官』の上演に臨席した皇帝ニコライは死ぬほどに笑い転げた!!!

自分が皇帝の爆笑や、検閲のより大きな庇護を忝くしたおかげで幾分変えられたとは言え、彼が描いた通りの役人たちの自己満足げな笑いを誘ったに過ぎないことに絶望した彼は、「まえがき」の中で、自分の喜劇は極めて滑稽であるだけでなく、極めて悲しいものでもあるのだ、「その笑いの陰には苦い涙が隠されている」のだと、説明することを自分の義務と見なした。

『検察官』の後、ゴーゴリは領地の貴族たちに目を向け、街道筋からも大きな町からも遠く離れた舞台裏に隠れ、農村の奥深いところに身を潜めてきた、この未知の人種を白日の下に引きずり出した。これは所領の経営にひっそりと専念しつつ、西欧の貴族の堕落よりも遥かに深い堕落を隠している、貧乏貴族たちのロシアである。ゴーゴリのおかげでわれわれは彼らの地主屋敷、彼らの邸宅の敷居の向こうに、彼らの姿をとうとう見ることになったのである。彼らはわれわれの前を仮面も付けず、素顔のままに通り過ぎる。それはいつでも酔漢であり大食漢であり、権力の卑屈な奴隷であり、自分の奴隷に対する無慈悲な暴君であり、赤子が母乳を飲むように、当たり前の顔をしてごく無邪気に、民衆の命と血を吸っている連中である。

『死せる魂』は全ロシアを震撼させた。

現代ロシアに向かってこのような告発をすることは不可欠であった。これは巨匠の手になる病の歴史である。ゴーゴリの詩情は、下卑た生活によって堕落した人間が、畜生に成り下がった自分の顔を、鏡の中にふと見て発する、恐怖と羞恥の叫びである。しかし、胸の内からこのような叫びを発することが出来るためには、そこに健康的なものが、ほんの僅かなりと残っていることが、そして、そこに再生への偉大な力が生きていることが必要である。自分の弱さ、自分の欠陥を認識する者は、これらが自分の性質の本質ではないことを感じているのだ。彼は自分がこれらに丸ごと飲み込まれてはいないこと、自分の中には転落から逃れ、これに抵抗する何かがまだあるということ、自分にはまだ過去を償い、頭を昂然ともたげて行けるだけでなく、バイロンの悲劇に見るように、軟弱なサルダナパルから英雄のサルダナパルにもなれると感じている者なのである。(8)

ここにおいてわれわれは、今一度、重要な問題に向き合うことになる。ロシアの国民が立ち直れるという証拠はどこにあるか、その逆の証拠はいかなるものか、という問題である。この問題には、すでに見てきたように、思索する全ての者が心を砕いてきた。しかし、誰一人としてその解決を見た者はいない。

ポレヴォーイは他の者たちを励ましながらも、自分では何も信じていなかった。もしそうでなかったら、彼はあんなにも早く憂愁に捕らわれ、不運に一度見舞われただけで敵の陣営に身を投ずるようなことはなかったはずだ。《読書館》はこの問題を一気に跳び越え、問題を避け、これを解決しようとすらしなかった。チャアダーエフの解決は解決ではなかった。

詩や散文、芸術や歴史はわれわれに、こんな愚かしい環境、これらの恥ずべき習俗、こんな歪んだ権力がいかに形成され、いかに発展してきたかを示したが、しかし、出口を指し示した者はいない。ゴーゴリが晩年にしたように、順応することが必要だったのだろうか、それとも、レールモントフのように、己の破滅に向かってまっしぐらに突き進むべきだったのだろうか。順応することはわれわれにはできないが、さりとて破滅したくもない。われわれの心の奥底では何かが、逃げるのはまだあまりに早いと言っていた。どうやら、死せる魂の向こうには、生きた魂がまだあるようだ。

そして、これらの問題はこれまでより遥かに強い形で新たに立てられた。期待されたことが、何としても解決を求めたのだ。

四十年代以降、社会の関心は二つの潮流に集約された。これらはスコラ的論争からすぐに文学に移り、そこから社会へと移っていった。

われわれが言っているのは、モスクワの汎スラヴ主義とロシアのヨーロッパ主義のことである。

これら二つの潮流の闘いは一八四八年革命によって終わった。それは多くの人びとを巻き込んだ、最後の生気溢れる論争であった。まさにそれ故に、この論争は一定の意義を持っているのである。それ故、われわれは次の章をこれに捧げるものである。

訳注

(1) アストルフ、一七九〇―一八五七、フランスの作家、旅行記『一八三九年のロシア』の著者。キュスティーヌはこの本の中で、ロシア帝国を「カタログの国」と呼んでいる。

(2)「歩哨所」は corps de garde で、「近衛連隊」は garde de corps である。ゲルツェンは語順を逆に書くことによって近衛連隊の名声の凋落ぶりを皮肉っている。

(3) キセリョーフの「改革」によって起こった国有地農民の蜂起については本書第四章注(8)を参照。

(4) 一八二一年にグレーチの印刷所で植字工の一人が何者かによって殺害された。捜査では強盗の仕業とされていたが、デカブリストの審理の過程で、秘密結社の一員が口封じのために彼を殺害したのだという噂が広がっていた。ゲルツェンのこの文章はこの噂を念頭に置いているが、後の研究によれば、デカブリスト関係の文書で印刷に付されたものはなかったことが判明し、この事件はデカブリスト事件とは無関係であることが明らかとなっている。

(5) このエピソードについては『過去と思索』第一部第七章「つけたり」で詳細に語られている。

(6) 一八三一年のモスクワ大学学生スングーロフとその仲間のいわゆる「秘密結社」事件。

(7) プーシキンは一八三〇年、モスクワでコレラがはやっていた折にモスクワを行幸したニコライを讃える詩「英雄」を書いた。

(8) バイロンの同名の悲劇の主人公。アッシリアの王。元来ひ弱な男ではあったが祖国の危機に当たり目覚め、女奴隷への愛の影響もあって、勇者に変身して祖国を救う。

第六章　モスクワの汎スラヴ主義とロシアのヨーロッパ主義

ピョートル一世の改革への反動の時は、まずは政府から始まった。政府は己が原理を放棄し、西欧文明と手を切ったのである。この文明こそピョートル一世が民族性を踏みにじる口実としたものに他ならない。だが、ピョートルへの反動の時は、政府からばかりでなく、政府が文明を口実として民衆から隔離した者たち、そして、文明化されるや首を括られることになった当の者たちからも始まったのである。

民族的な理念への回帰は、当然のことながら、それを口にすること自体がペテルブルク時代に対する批判的な反応を含意するような問題へと導いた。われわれにとって悲しむべき状況からの出口は、われわれが知りもしないで蔑んでいる民衆と親しくなるということに求められなくてはならないのか。スラヴ的性格により適した社会体制に回帰し、押し付けられた異国の文明の道を放棄しなくてはならないのか。これは重要な差し迫った問題である。しかし、この問題が提起されるやすぐに、この問題に次々と積極的な解決を与え、排他的な体系を創り、これを教義どころか宗教にしてしまった人びとのグループが現れた。反動の論理というものは革命の論理と同様、性急なものだ。

スラヴ派の最大の誤りは、問題そのものの中に解答を見て、可能性と現実性とを混同してしまったことにある。彼らは自分たちの道が大いなる真理に通じており、この道は現代の諸事件に対するわれわれの見方を変えるに違いない、と予感していた。しかし、彼らはさらに考察を進める代わりに、こうした予感に満足してしまった。かくして、彼らは事実を歪めることにより、自分たちの判断そのものをも歪めてしまったのである。彼らの裁定は既にして自由ではなかった。彼らはもはや難しさを認めず、万事解決済みと思い込んだのである。彼らの関心事は真理ではなく、自分の論敵にどう反論するかということに向けられた。

論争には激情が加わった。熱狂したスラヴ派はペテルブルク時代全体に、ピョートル一世が為したあらゆることに、そして遂には、ヨーロッパ化されたもの、文明化されたもの全てに、猛然と襲い掛かった。反対論としてはこのような誇張は理解できるし、正当化もできるが、しかし、不幸にして、この反対論は余りも行き過ぎ、奇妙なことに、自分たちが本来持っていたはずの自由への志に反して、政府の側に立つことになってしまったのである。

ドイツ人に由来するものには全て何の価値もない、ピョートル一世がもたらしたものは全て厭うべきものであると、ア・プリオリに決めつけることにより、スラヴ派はモスクワ国家の狭隘な諸形式に熱中し始めるというところまで行き着き、自分たちの理性、自分たちの知識を放棄した挙句、熱い思いを込めてギリシア教会の十字架の庇護のもとに身を寄せてしまったのである。われわれとしては、こうした傾向を是認するわけには行かなかった。ましてや、スラヴ派がモスクワ国家の制度について奇妙に誤解し、ギリシア正教に、それが未だかつて持ったことのないような意義を付与したとなれば、なおさらであった。デスポチズムへの憤りに満ちていながら、彼らは政治的・宗教的隷属に行き着こうとしていたのだ。スラヴ的民族性へのあらゆる面での共感にもかかわらず、彼らは反対側の扉を通ってその当の民族性から遠ざかって行ったのである。ギリシア正教は彼らをビザンチズムに誘った。そして、彼らは実際に、古代世界の痕跡を全て飲み込んだこの淀んだ底なし沼へと突き進んだ。仮に、西欧の諸形式と精神がロシアにそぐわないとしても、ロシアと末期の東ローマ帝国の制度との間にどんな共通点があったというのか。若さの故に野蛮なスラヴ人と老齢の故に野蛮なギリシア人との間に、どんな有機的な結びつきがあるというのか。そして、最後に、このビザンツというのはローマ、それも崩壊期のローマ、栄光に満ちた想い出も、悔い改めも持たないローマに他ならないのではないか。ビザンツは歴史にいかなる新しい原理をもたらしたか。あるいは、ギリシア正教を、であろうか。しかしそれだとて、無気力化したカトリシズムに過ぎないではないか。その原理が余りに似通っていたために、その違いを信じさせるのに七世紀にわたる論争と不和を必要としたほどだ。あるいは、社会組織を、であろうか。しかし、東の帝国にあってそれは、無制限の権力と受動的な恭順、国家による個人の、皇帝による国家の、完全なる吸収の上に成り立っていたのではないか。

このような国家が、果たして、若い民族に新しい命を伝えることが出来ただろうか。南欧の西スラヴ人は末期の東方帝国のギリシア人と長い間結びついて生きて来たが、彼らはそれで何を得ただろうか。

コンスタンチノープルの総主教たちの祝福のもとで、ギリシア人の皇帝たちによって囲い込まれた人びとの群れがどうなったかが、もう忘れられている。農奴制のこの詭弁、奴隷制の哲学がいかなるものであるかを知るには、先ごろ皇帝ニコライとその法律顧問官グーベによって巧みに模作された、大逆罪なる法律を見るだけで十分だ。この法律はもともと世俗の権力に適用されるだけだったが、立ち居振る舞いや風俗習慣はおろか、食べるものや笑いに至るまで規制した、宗教法規的なものがこれに続いた。国家と教会のこの二重の網に捉えられ、あるところでは、その判決に不服を申し立てることの出来ない裁判官や、彼に忠順な刑吏による脅しのもとで、またあるところでは、神の名において振る舞う司祭や、この世とあの世において人を縛り付ける懲戒による脅しのもとで、永遠に怯えて生きて行かねばならない人間が一体どうなるか、おおよそ想像できるというものだろう。

東方教会のありがたい影響力など、どこに見られるのか。四世紀に始まり今日に至るまで、正教を受け入れたどんな民族を教会は文明化したか、あるいは解放したか。アルメニア、グルジア〔現ジョージア〕、あるいは小アジアの諸種族、トラペズンド[1]の惨めな住民たちはどうだ。あるいは、モレア半島の住人はどうだ。既にその生を終え、零落し、未来を失った民族については、教会と言えどもいかんとも為し難かったのだ、と人は言うかもしれない。だが、スラヴ人——心身ともに健康な人種たるスラヴ人は正教会から何かを得ただろうか。東方教会は絢爛たる花を咲かせた明るいキエフ時代、ウラジーミル大公の時代にロシアに入ってきたのだったが、それはロシアを、コシーヒンが描いているように、悲しい陰鬱なる時代へと導いてしまった。それは民の自由に悖《もと》るあらゆる措置を祝福し容認した。教会はツァーリにはビザンツ的デスポチズムを教え込み、民衆には、彼らが土地に縛り付けられ、奴隷制の軛の下に身を屈した時でさえも、盲目的な服従を命じた。ピョートル一世は聖職者階級の影響を無力化した。これは彼の為したことの中でも、最も重要なことの一つであった。然るに、その影響力の復活を今さら願うとは、一体どういうことなのか。

ロシアの救いをビザンツ・モスクワ的体制の再建だけに期待したスラヴ主義は、ロシアをこの体制から解放したのではなく、これに括りつけたのであり、前進させたのではなく、後退させたのである。スラヴ派が名付けて言うところのヨーロッパ人〔西欧派〕が望んだのは、ドイツ的隷属の首輪を正教スラヴ的首輪に付け替えるということではない。彼らはありとあらゆる首輪からの解放を望んだのだ。彼らはピョートル一世の時代以来過ぎ去った期間、かくも困難な労苦に満ちた一世紀の骨折りを、消去しようと努めたのではない。彼らが望んだのは、かくも長く苦しみ、かくも多くの血を流し、その挙句に手に入れたものを、狭隘な社会体制、排他的な民族性、因循姑息な教会のために否定しようということではない。スラヴ派は正統王朝派さながらに、こうしたことから良いものを取り出し、悪しきものを退けることが出来ると、ただ徒《いたずら》に繰り返すばかりであった。これだけでもすでに極めて深刻な誤りだが、しかし、彼らはさらに別の、あらゆる反動主義者に固有の誤りをも犯した。歴史の原理を崇拝する彼らは、ピョートル一世以後に生じた全てもまた歴史であり、幽霊ならばいざ知らず、この世にあるいかなる力と言えども、成し遂げられた事実を無かったことにしたり、それらの結果を取り除くことなど、できることではないということを、いつも忘れていたのである。

スラヴ派たちとの活発な論争の始まりとなったのはこのような視点である。この視点と並んで新聞などで議論された別の問題は、後景に退けられていたとはいえ、これまた、極めて興味をそそるものであった。

センコーフスキーは申し分ない完璧さをもってスラヴ派の陣営に猛烈な毒を含んだ矢を雨霰《あめあられ》と浴びせかけた。己の犠牲者をさんざん笑いものにしたことで満足した彼は、意気揚々として退場した。彼は真面目な論争向きにはできていなかったのである。しかし、別のジャーナリストがスラヴ人たちによってモスクワに投げられた手袋(ルカヴィーツァ)を拾い上げ、スラヴ派が担いでいたビザンツ風の生神女(聖母マリアの正教会風の呼び名)を描き込んだ重々しい教会旗に対抗して、ヨーロッパ文明の旗を高々と掲げた。*

＊　農民が使う親指だけが離れた手袋。

《祖国雑記》の先頭に立ったこの闘士の出現はスラヴ派に大成功を予言しなかった。これは才能豊かで精力的な男、己の信念に熱狂的なまでに忠実な、勇敢で妥協を知らず、激しやすい神経過敏な男――ベリンスキーである。

彼に固有な成長の過程は、彼が生きて来た環境にとって極めて特徴的である。田舎町の貧しい役人の家に生まれた彼は、この家庭について慰めとなるような想い出を何一つとして持っていなかった。彼の両親は、この堕落した階層を代表する者たちの常として、頭の固い教養のない人たちであった。ある時、ベリンスキーが十か十一の頃に、父親が家に帰ってくるなり、彼を叱り始めた。少年は言い訳をしようとした。激怒した父は彼を殴り、突き倒した。少年が立ち上がった時、彼は別人になっていた。人を傷つける理不尽な行為は、彼をして両親との関係を一気に断絶させた。彼は長い間復讐の事ばかり考えていた。しかし、この時は思想的な脆弱さのゆえに、この復讐心は家族のあらゆる権力に対する憎悪にとどまった。だが、彼はこの憎悪を生涯にわたり持ち続けた。

ベリンスキーの教育はこのようにして始まった。家庭は悪しき扱いにより、社会は貧困によって、彼を自立へと導いた。神経質で病弱な青年は、学究的な勉強の準備も出来ず、モスクワ大学では何もできなかった。そして、政府の給費生だったこともあって、「能力不足と学習意欲の欠如」を理由に除籍された。貧しい青年はこんな屈辱的なお墨付きをもって世の中に出ることになった。つまり、大学の門から締め出され、一切れのパンもなく、それを稼ぐ術もないままに、大都会の真ん中に放り出されたのである。そんな時に、彼はスタンケーヴィチとその仲間に出会った。そして、彼は救われた。

十年ほど前にイタリアで若くして亡くなったスタンケーヴィチは、歴史上、記録されるようなことは何一つとして為さなかったが、ロシアの知的発達について語る場合に、彼の名に触れないでいることは忘恩と言うべきだろう。

スタンケーヴィチという人は、その存在自体が彼を取り巻く人たちの全てに大きな影響を及ぼすような、そんな寛《ひろ》い心と魅力を備えた人であった。彼は卓越したパーヴロフ教授によってモスクワ大学にもたらされたドイツ哲学への愛を、モスクワの青年たちの間に広めた。スタンケーヴィチは友人たちのサークルで勉強を指導した。スタンケーヴィチはわれわれの友人、バクーニンの哲学的才能を最初に見抜き、彼の背中を押してヘーゲル研究へ向かわせた。スタンケーヴィチはヴォローネジ県でコリツォーフと出会い、これをモスクワに連れてきて励ました。

スタンケーヴィチはベリンスキーの血気にはやる独創的な知性の真価を認めた。やがて全ロシアは、モスクワ大学の監督官から無能の評定を受けたジャーナリストの大胆な才能に正しく報いた。

ベリンスキーはヘーゲルを熱心に学んだ。ドイツ語を知らないということは彼にとって障害とならなかったばかりか、むしろ習得を容易にした。バクーニンとスタンケーヴィチが自分たちの知っている知識の一部を彼に分かち与えることを引き受けたからだ。二人はこれを若さの熱意とロシア的知性の明晰さとをもって成し遂げた。とは言え、彼が友人たちに追いつくためには、ほんの断片的な指摘だけで十分だった。ヘーゲルの体系を我が物にすると、彼はモスクワのヘーゲル崇拝者の中で最初に、反ヘーゲルではないにしろ、その解釈の仕方に批判的になった。

われわれは、えてして、抗しがたいほどの大きな影響力に出会うと、それに身を委ねてしまうものだが、ベリンスキーにはそうしたことが全くなかった。われわれはごく若いころに目新しいことに誘惑されると、多くのことを理性で検証することなく、それらを記憶に留めてしまう。そして、これらの記憶は既成の真理として受け止められ、それがわれわれの自立性を束縛することになってしまうのである。しかし、ベリンスキーが哲学の勉強を始めた時、彼はすでに二十五歳になっていた。彼は深刻な問いと熱烈な弁証法とをもって学問に取り組んだ。彼にとって真理や結論は抽象でも頭の遊びでもなく、生きるか死ぬかの問題だったので、あらゆる二義的影響から自由な彼は、学問にそれだけ余計誠実に没入した。彼は分析と否定の炎からいかなるものも救おうとはしなかった。彼が生半可な解決や臆病な結論や小心な譲歩に抗議したのは、全く当然のことだった。

フォイエルバッハを読み、アーノルド・ルーゲの新聞が行っていたプロパガンダを知った後となっては、何もかもすでに目新しいものではないが、時間を一八四〇年以前に合わせる必要がある。当時ヘーゲル哲学は、『精神現象学』や『論理学』によって破壊され粉砕された宗教を、『宗教哲学』の中で再び取り戻そうという弁証法的手品の魅惑のもとにあったのである。それは哲学的言語がまだ誰をも魅了していた時代で、この言語はあまりにも完成の域に達していたために、俗人が信仰を見出したところで、叙聖された者たちが無神論を見るというほどだった。

このわざとらしい難解さ、いかにも思慮深げな抑制ぶりは、誠実な人の側から厳しい抵抗を呼び起こさないわけがなかった。スコラ哲学とは無縁で、プロテスタント的なこれ見よがしな謹厳ぶりやプロシア流の礼儀作法から自由なベリンスキーは、己が真理をイチジクの葉で覆い隠す、この内気な学問に憤った。

ある時、ベルリン仕込みの臆病な汎神論者と数時間に及び議論していた時のこと、ベリンスキーは立ち上がると、声を震わせて、息を切らせながら言ったものだ。「君たちは僕に信じさせようとしているんだ、人間の目的というのは、絶対精神を自己意識にまで持って行くことだということをね、そして、君らはそんな役割で満足しているんだ。でもね、いいかい、僕は馬鹿じゃないからね、誰かのために無意識の道具になろうなんて、僕はちっとも思っちゃいないよ。僕が考え、僕が悩むのは、僕自身のためだよ。君らの絶対精神なんてものは、まあ、仮にあればの話だが、僕には関係ないね。僕にはそんなもの知る必要もないよ、だって、僕に共通するものなんて、何もないんだから。」

われわれがこれらの言葉を引用するのは、それによってロシア的知性の物の言い方を今一度示さんがためである。二元論的愚論が喧伝され始めた時に、この哲学が現実的であるのはただ言葉の上だけである、その根底にあるのは地上の宗教、天国なき宗教、論理的修道院であり、人びとは抽象に浸るためにこの世からここに逃避したのだ、ということに真っ先に気づいたのは、ドイツ哲学を勉強していたロシアで最も才能ある人だった。

ベリンスキーの社会活動が始まったのはやっと一八四一年になってからである。彼はペテルブルクの《祖国雑記》の編集権を得ると、六年の間、ジャーナリズムの世界に君臨した。彼は戦士として、ロシアのジャーナリズムと共に斃れた。彼は一八四八年、疲労困憊し、あらゆることにうんざりし、これ以上にないほどの貧困の餌食となって死んだのであった。

彼はプロパガンダという点で沢山のことを成し遂げた。若い学生たちは彼の論文を読んで育った。彼は読者の美的趣味を育てた。彼は思想に力を与えた。彼の批評はポレヴォーイとは違った問題、違った疑問を目覚めさせることにより、その批評よりも深いところに達した。彼の真価はまだ十分に評価され切っていない。彼の生前には、彼に自尊心を傷つけられたり、虚栄心を痛めつけられたりした人たちが沢山いた。死後には、政府が彼について書くことを禁じた。私がベリンスキーについて他の人についてよりも詳しく語ることにしたのは、まさにこうした理由による。

彼の言葉遣いにはしばしば角があったが、しかし、常にエネルギーに満ちていた。彼は自分の思想を、萌芽の状態にあるがままに、熱情をもって伝えた。彼の言葉の一つひとつの中に、読者はこの人が自分の血で書いているのだと感ずる。彼がいかに力を振り絞り、いかに自分を燃やして書いているかを感ずる。病弱で激しやすい彼は、愛にも憎しみにも限界というものを知らなかった。しばしば熱中が過ぎ、時として甚だしい誤りを犯すこともあったが、しかし、彼は常に聖人のように誠実であり続けた。

ベリンスキーとスラヴ派との衝突は避けがたかった。

既に述べたように、この人は最も自由な人たちの一人だった。というのも、彼は信仰にも伝統にも束縛されず、世間の人たちの意見に右顧左眄《うこさべん》することもなく、いかなる権威も認めず、友人の怒りも心善き人びとの驚愕も恐れなかったからだ。彼は、批評の番人として、反動と目するあらゆることを暴き、糾弾するべく常に身構えていた。スラヴ派が最も神聖な絆と考える全てのものの中に重い鎖を見てしまった以上、彼らの正教的・ウルトラ愛国主義に、彼がどうして大人しくしていられただろうか。

スラヴ派の中には才能のある博学の人もいたが、評論家は一人もいなかった。彼らの雑誌《モスクワ人》〔一八四一―五六〕はいかなる成功も収めたことはなかった。それはこの派に属する才能ある人たちはほとんど何も書かず、書いていたのはいつも才能のない連中ばかりだったからだ。

スラヴ派はヨーロッパ人に対してとてつもなく有利な所にいた。だが、この優位性は有害な類のものであった。スラヴ派は正教と国民性を擁護したが、これに対してヨーロッパ人たちが攻撃したのは、まさにその両者であった。それゆえ、スラヴ派は勲章や年金を貰い損なったり、宮廷のお抱え教師という地位や、侍従という肩書を失うことを心配せずに、ほとんどすべてを語ることができたが、ベリンスキーの方は、逆に、何も語ることが出来なかった。あまりにはっきりした思想や不用意な言葉は彼を監獄行きにして、雑誌や編集者や検閲官を危険に晒すことになりかねなかったからだ。しかし、まさにそうした理由から、ペトロ・パウロ要塞監獄入りを覚悟してまで独立性を擁護したこの勇気ある書き手は、あらゆる共感を勝ち得たのであり、ありとあらゆる敵対感情は、クレムリンやウスペンスキー大寺院の陰から拳骨を突き出し、ペテルブルクの「ドイツ人」たちの庇護を忝くしていた彼の反対者に向けられたのである。ベリンスキーとその友人たちが言うことの出来なかったことは全て推察され、補われた。スラヴ派が語ったことは全て、デリケートとも寛大とも思われなかった。

もっとも、取り急ぎ付け加えて置けば、スラヴ派は、しかし、決して政府の味方ではなかった。ペテルブルクにいるのが皇帝派の汎スラヴ主義者であることはもちろんのこととして、モスクワにもそれに同調したスラヴ派がいるのは、丁度、バルトのドイツ人やカフカースの帰順したチェルケス人の中にも、ロシア愛国者がいるのと同じである。だが、人はこの種の人間のことは語らないものだ。隷従を愛するこれらの輩は、絶対主義を唯一の文明化された政体と見なし、黄金海岸のワインよりドン産のワインの方が上だと言って、西スラヴ人にロシア心《ごころ》を宣伝する。連中の心を満たしているのは、ヴィンディシュグレーツやハイナウの徒には大いに役立つ、ドイツ人やマジャール人へのかの御大層な敵意なのである。政府は彼らの教説を公式には認めてはいないものの、足代程度は支払っているし、彼らの友人であるチェコ人やクロアチア人には聖アンナのホルシユタイン十字勲章を贈ったりしている。ポーランドの息を詰まらせた兄弟的抱擁を、彼らにも用意しようというわけだ。

本当のスラヴ派について言えば、政府との良好な関係は彼らにとっては望ましい事実というよりは、むしろ不幸ではあるが、しかし、権力に支えられているあらゆる教義というものは、結局は、こういうことになるものだ。このような教義は一面では革命的ともなりうるが、他面では、必ずや保守的となるだろう。そのどちらになるかは、敵と同盟するか、あるいは、自分の原理原則を裏切るか、という悲しむべき選択において明らかになる。良心を目覚めさせるためには、敵と少し狎《な》れ合《あ》って見るだけで十分だ。

ベリンスキーとその友人たちがスラヴ派に対置したのは教義でも排他的体系でもなく、ただ、現代の人間の心を揺り動かしているあらゆることへの生き生きとした共感や、思想の自由への限りない愛や、この愛への妨げとなるあらゆるもの、つまり、権威や権力や信仰への憎しみだけであった。彼らはロシアの問題、ヨーロッパの問題を、スラヴ派的視点とは全く異なった視点から見ていたのである。

彼らには、ロシアが陥っていた隷属状態の最も大きな原因の一つは、個人の独立性の欠如にあると思われた。政府の側からする人間への尊重の念の完全なる欠如と、個々人の側からの反抗の欠如は、このことに由来するのであり、また、権力の横暴や民衆の忍耐強さも、また然りである。個人の権利に解放の酵母が浸透しない限り、ロシアの未来はヨーロッパにとっては大きな脅威を、ロシアそれ自身にとっては諸々の不幸を孕んでいる。今のようなデスポチズムがもう百年続くなら、ロシアの民衆が持つ善き資質は全て消えてしまうだろう。

幸いにして、個性に関するこの重要な問題において、ロシアは全く独自の立場を占めている。

西欧の人間にとって、大衆の奴隷化と貧困化、革命の無力化の原因となっている最も大きな不幸の一つは、道徳的隷属である。それは個性の感覚が不足しているということではなく、この感覚が歪められているためにこれを明確に認識することができない、ということである。この感覚を歪めているもの——それは個人の独立を制約するこれまでの歴史的諸経緯である。ヨーロッパ諸国の人びとは過去の幾つもの革命に自分たちの血も心もあまりに沢山注ぎ込んできたが故に、これらの革命は彼らの心の中に今も生きており、個人はその想い出や、多かれ少なかれ規範化され、自分たち自身によって認知された古い特権(Fuero)〔都市や州の特権を保証したスペインの古い法律〕を傷つけずには、一歩も前に進むことが出来なくなっているのである。あらゆる問題はすでに半ばまで解決済みである。動機も、人間関係も、義務も、道徳も、犯罪も、何もかも定まっている。しかもそれはある大きな力によってではなく、部分的には人びとの合意によって定まっているのである。かくして、人びとは自分たちの行動の自由を率先して守るというのでなければ、ただ、無自覚的にこれに従うか、あるいは自覚的に逆らうかしかないということになる。抗議する余地のないこれらの基準、すっかり出来上がったこれらの観念は大洋を横断し、新たに作られた共和国の基本法の中にも導入されている。これらは国王たちがギロチンで首を落とされても生き延び、ジャコバン党員のベンチにも、国民公会のベンチにも、いとも涼しげな顔をして居座り続けている。真理半分、偏見半分のこれらの多くのことが、長い間、社会生活の強固な絶対的基盤、争う余地も疑う余地もない結論として受け入れられてきた。実際、それらの一つひとつは、それぞれの時代の偽りのない進歩であり、勝利であった。しかし、これら全てをまとめたものの中から、次第に新しい牢獄の壁が築かれもしたのだ。今世紀の初め、思索する人びとはこのことに気づいた。しかし、そこで彼らはこれらの壁の厚さも知った。そして、これらに穴を穿《うが》つにはどれほどの力が必要かをも知ったのである。

ロシアはこれと全く違った状態にある。その牢獄の壁は木で出来ている。粗雑な力で建造されたこれらの壁は、ほんの小さな打撃でも揺らぐだろう。ピョートル一世と共にあらゆる過去を捨てた一部の人びとは、ロシアがどれほどの否定力を持っているかを示した。しかし、現状とは無縁のままにあり続けた別の一部の者たちは、新しい体制に屈服しながらも、これを一時凌ぎの野営地と見なして、これを受け入れようともしない。彼らが服従しているのは怖いからであって、信じているからではないのである。

西欧も現代のロシアも、いずれも、自分たちの政治的・道徳的諸形式を全面的に放擲《ほうてき》しない限り、前に進めないということは明らかであった。しかし、ヨーロッパはニコデモ〔イエスに様々な懐疑的な問いを発する裕福なユダヤ人。ヨハネ三：1-15〕のように、こんな願望のために大きな財産を犠牲に供するには、あまりに豊かであった。だが、聖書の中の漁夫たちには惜しまねばならないものは何もなく、網を頭陀袋に持ち変えることは容易だった。彼らが持っていたのは御言葉を理解することのできる、生き生きとした魂だったのである。

ロシアが置かれた状況は、これを自国の過去やヨーロッパの過去と比べた場合、全く新しく、個人の独立を発展させるためには極めて有利なように見えた。しかるに、こうした状況を利用する代わりに、歴史がロシアに遺してくれた唯一の優位性を、ロシアから奪おうとする教説が登場してしまった。スラヴ派はわれわれと同じように、現在のロシアを憎みながらも、ヨーロッパ人の進歩を妨げている革帯に似たものを、過去から借用しようと望んだのだ。彼らは自由な個人性という理念を狭いエゴイズムと混同してしまった。彼らはこうした理念をヨーロッパ的理念、西方的理念と見なし、われわれを西方の光の盲目的崇拝者と混同し、われわれに向かってヨーロッパの腐敗、諸国民の衰弱、革命の無力、近付きつつある暗い宿命的な危機といった絵図を描いて見せた。こうしたことは間違ってはいなかったが、しかし、彼らはこれらの真実を誰から知ったのか、その名を挙げることを忘れていた。

ヨーロッパが自分が再生の前夜にあるのか、それとも最終的な崩壊の前夜にあるのかはさておき、とにかく大きな変動の前夜にあることを理解するのに、ホミャコーフの詩や《モスクワ人》の編集者たちの散文を待つまでもなかった。現代社会が崩落の危機に瀕しているという認識――それは社会主義の認識だが、もちろん、サン・シモンも、フーリエも、牢獄の奥深くからヨーロッパの建造物を揺り動かしている新しいサムソンも＊、ヨーロッパへの自分たちの恐ろしい判決をシャファーリクやコラールやミツケーヴィチの書いた物から借用したのではない。サン・シモン主義はスラヴ派が問題とされるより十年も前から、ロシアで知られていたのだ。

＊ 当時プルードンはサン・ペラジーの監獄にいた。

ヨーロッパが自分の過去を清算するのは簡単なことではないと、われわれはスラヴ派に言っている。ヨーロッパが自分の利害意識に反して過去にしがみついているのは、革命がどれほど高くつくか、自分たちの現状には貴重なもの、代替するのは難しいものが、どれほど沢山あるかを知っているからだ。宗教改革や革命に彼らの歴史を読んで、それらを批判するのは簡単だ。しかし、ヨーロッパはこれらを自分たちの血をもって語り、書き上げたのだ。これらの偉大な数々の闘いの中で、思想の自由や人間の権利の名において抵抗することによって、ヨーロッパは、おそらくは実現することの出来ないほどに高い信念にまで登りつめたのである。だが、われわれは違う。われわれは過去から、より自由である。これは大きな優位性である。しかし、この優位性はわれわれにより深く謙虚たれと命じている。これはあまりに消極的な美徳だから、誉められるには値しない。悪徳がないということをもってこれを美徳に祀り上げるのは、ただウルトラ・ロマン主義だけだ。われわれが過去から自由なのは、われわれの過去が空疎で貧しく狭隘だからだ。モスクワ的ツァーリズム、あるいは、ペテルブルク的帝国主義のようなものを愛するなど、とてもできることではない。これらを解明することはできるし、別の未来の萌芽をそこに見出すこともできる。しかし、そのためにはこれらの傾向を、襁褓《むつき》を手放し捨て去るように努めなくてはならない。スラヴ派は、ヨーロッパが自ら確立したものを越えて成長することが出来なかったと言ってヨーロッパを非難しながら、個人の自由と国家との間にある大いなる矛盾の解決についてどう考えているのか語らなかったばかりか、スラヴ的政治制度について絶えず語りながらも、その詳細に立ち入ることさえ避けて来た。この点では、彼らはキエフ時代に限定し、農村共同体に縋《すが》り付《つ》いてきた。しかし、キエフ時代はモスクワ時代の到来も自由の喪失も妨げなかった。共同体は農民を農奴化から救わなかった。共同体の意義を否定するという思想からほど遠いところにいるわれわれは、共同体の将来を憂慮している、というのは、詰まるところ、個人の自由なくしては、いかなる堅固なるものはないからだ。このような共同体を持ったことがないか、あるいは、過去数世紀にわたる変遷の中でこれを失ってしまったヨーロッパは、共同体の意義を遂に理解した。が、ロシアは千年来これを持って来たにもかかわらず、ヨーロッパに、お前は自分の懐に何という宝物を隠し持って来たことかと言われるまで、これを理解しようとしなかった。スラヴ的共同体は社会主義が普及するようになった時、評価され始めたのだ。スラヴ派の諸君に挑戦して言おう、われわれの言うことが間違っていると証明できるものなら証明して見よ、と。

ヨーロッパは個人性と国家の間の矛盾を解決していない。しかし、ヨーロッパはこの問題を提起した。ロシアはこの問題に逆の方向から接近しつつある。しかし、ロシアもまたこれを解決していない。われわれの目の前にこの問題が現れた時から、われわれの対等な関係が始まる。われわれにはより大きな希望がある。何故ならば、われわれは今やっと始めようとしているからだ。希望とは――実現されないこともありうるからこそ希望なのだ。

しかし、未来については、歴史にも、自然にも、過度に信頼しない方がよい。どんな胎児もすべて成人に達するわけではない。心の中に生きていることが、必ずしも全て実現されるわけでもない。別の環境の中でなら全部が生育することもありうるとは言え。

ロシアの民衆が持つ能力が、奴隷状態や消極的な服従やペテルブルクのデスポチズムによって発揮されうると、想像できるだろうか。長きにわたる隷属状態は偶然的な事実ではない。それは、もちろん、国民的性格の何らかの特性に照応している。この特性が他の特性によって飲み込まれ、打ち負かされることもあるだろうが、しかし、こちらが勝ちを占めることもあるだろう。もし、ロシアが現存する秩序と和解していられるというのなら、ロシアにはわれわれが期待するような未来はない。もし、ロシアがこれからもペテルブルクの方向に従うか、あるいは、モスクワの伝統に立ち返るというなら、ロシアは半ば野蛮な、半ば堕落した烏合の衆としてヨーロッパに襲い掛かり、文明化した諸国を荒廃させ、全般的な破壊の中で滅びるほかないだろう。

ロシアの民衆に自分たちの置かれた破滅的境遇を自覚するように、手段を尽くして呼び掛けねばならないのではないだろうか――よしんば結果においてこれが不可能であることを確認することになるとしても、やってみる価値はあるのではないか。そして、このことを為さねばならないのは、国の理性、国民の頭脳を体現した者たち――民衆が自分たちの置かれた境遇を理解するように努めることを助けて来た者たちを措いて、誰がいるだろう。その数の多寡は関係ない。ピョートル一世は一人であったし、デカブリストは一握りの人たちであった。個々の人間の影響力は、ともすれば考えられがちなほど、小さくはない。個人は生きた力であり、強力な発酵作用を持った酵素である。――死すらも必ずしも常にその働きを終わらせるわけではない。時宜を得て発せられた言葉が事態を決定的に変え、言葉が革命を引き起こしたり終わらせたりしたことを、われわれは一再ならず見て来なかっただろうか。

そうする代わりに、スラヴ派は何をしただろう。彼らが説いたのは、「従順たれ」ということだった。これこそギリシア教会の最初の徳目であり、モスクワのツァーリズムの基礎にあるものに他ならない。彼らは西欧蔑視を説いたが、ただ西欧だけがロシアの生活の深淵を照らすことが出来たのだ。そして最後に、彼らは過去を褒め称えたが、逆に、今後、東と西にとって共通のものとなるべき未来のために、これとこそ決別しなくてはならなかったのだ。

このような思想傾向と対決しなくてはならないことは、完全に明らかだ。そして、現に、論争はいよいよ広範囲にわたって展開された。それは一八四七年の末にはその最高の緊張に達し、一八四八年まで続いた。それは、あたかも、これに参加した者たちが、数か月後にロシアではもう何も議論できなくなるだろう、この闘いは事件の重大性を前にした時、色褪せたものになるだろうと、予感していたかのようだ。

対立する意見は二つの論文の中でとりわけはっきり表明された。一つは「ロシアの法的発達」と題する論文で、ペテルブルクの《現代人》誌に発表された[2]。もう一つの方はスラヴ派の長大な反論で、これは《モスクワ人》誌に掲載された[3]。一番目の論文はロシア法の深い研究に基づいた、明晰で力強いテーマの論述であった。それは個人の権利が一度として法的に規定されたことがなく、いつでも家族と共同体、後には国家と教会によって飲み込まれてきたという思想を展開した。著者によれば、個人の不明瞭な立場は、政治生活の他の領域におけるのと同じような曖昧さに通じていた。国家は個人の権利についての規定がないのをいいことに、自由を侵犯した。かくして、西欧の歴史が自由と権利の発達の歴史であるのに対して、ロシアの歴史は専制と権力の発達の歴史となったのである。

《モスクワ人》誌の反論はその論拠を、スラヴの年代記やギリシアの教理問答書やヘーゲル的形式主義から汲み取っていたが、スラヴ主義が体現しているこの危険性は、誰の目にも明らかである。スラヴ派の筆者の信ずるところによれば、個人の原理はルーシにも古くから立派に発達していたが、個人性はギリシア教会によって啓発されることによって忍従という高貴な徳を得ることになり、おのが自由を公という人格に自発的に委譲したのであった。公は共苦と善意と自由なる個人性を具現化している。各人は個人的自立性を放棄することによって、同時に、それを個の原理の体現者たる君主の中で救ったのである。

論文の筆者の意見によれば、この自己犠牲という徳とさらに大きな徳――これを悪用しないという徳――が、公と共同体と個々人との間の調和のとれた合意を形成した、というのだが、この驚嘆すべき合意について筆者は、ビザンツ教会における聖霊の奇跡的降臨によって説明しているだけで、それ以上のことを言ってはいない。

スラヴ派が生活の真面目な見解、社会意識の現実的な側面、さらには、ロシアの生活の中にその現実的な具現化を見出さんとする力を提示したいというのなら、また、彼らが、考古学的議論や神学論争以上の何かを望んでいるというのなら、われわれには言葉のこの背徳的濫用や、堕落した弁証法をやめるように要求する権利がある。われわれが敢えて「背徳的濫用」というのは、彼らがそれを全く意図的に振り撒いているからだ。

問題そのものを裏返して示しているだけの、これらの隠喩的解決が意味するものは何であろうか。実物の代わりに聖像や象徴を持ち出してどうしようというのだろうか。果たして、そうすることによってスラヴ派は、このビザンツのハンセン病を自分に接種するために末期東ローマ帝国の年代記を研究したのだろうか。われわれはパレオロゴス時代のギリシア人ではないから、未知の無窮の未来がわれわれの扉を叩いている時に、opus operans〔為されたこと〕と opus operatum〔為されつつあること〕について論争するつもりはないのである。

彼らの哲学的方法は目新しいものではなく、十五年ほど前にヘーゲル右派がこれと全く同じようなやり方で自説を語ったことがある。だが、こんな馬鹿げたことでも、空疎な弁証法の鋳型に押し込め、それに深遠な形而上学の装いを与えるくらいのことはできる。だが、そのためには、内容と方法との相互関係は弾丸を作るための鉛と鋳型との関係とは別物だということを、ただ知らないか、あるいは忘れている必要がある。これらの相互依存性を理解できないのは、ただ二元論のみだ。公のことを言うとき、筆者はヘーゲルが『精神現象学』の中で奴隷に与えた周知の定義を言い換えているに過ぎない(Herr und Knecht〔主と奴〕)。だが、ヘーゲルが人類の意識のこの最下位の段階を抜け出ていることを、彼は故意に忘れている。形式的には学問的だが、内容的にはスコラ哲学的なこの哲学のジャルゴンは、イエズス会士にも見られるということは、注目に値する。モンタランベールは、ローマの牢獄で法王の官憲によって行われた残酷な拷問について詰問された時、答えて言ったものだ。「諸君は法王が残酷だとおっしゃるが、法王は残酷であるはずはない。彼はその立場上、そうしたことは禁じられている。イエス・キリストの代理人として、法王はただひたすら赦し、慈悲深くありうるのみである。現に、法王は常に赦しておられる。聖なる父は罪人を嘆き悲しまれ、彼らのためにただひたすら祈られるばかりで、無慈悲でなどあるはずはない」等々。ローマでは拷問が行われているか、という問いへの答えが、法王は慈悲深いというのだ。われわれは皆奴隷だ、ロシアには個人の権利は発達していない、という指摘に「この権利は、公にこれを冠することによって、われわれはこれを救ったのだ」と答えるのは、これと同じ論法だ。これは人間の言葉に対する侮蔑を掻き立てる、愚弄というものだ！　宗教を引き合いに出すのは適切ではないが、義務としての宗教を引き合いに出すのは、もっと適切ではない。筆者には、それぞれが良しとするところを信ずる争いがたい権利を有する。しかし、自分の宗教について語っていない者との学問的論争で神学的論証に依拠するのは、作法に悖るというものだ。ほんのわずかに攻撃しただけで監獄行きになるような、難攻不落の要塞の陰に、どうして身を隠すことがあろうか。

何と言っても、スラヴ派が宗教を実際に大切に思いながら、『宗教哲学』の欺瞞的方法に嫌悪を感じていないというのは理解しがたい。というのも、これが宗教の復権の試みとしては無力で、そもそも宗教に対する信念に欠け、擁護の言辞も冷たく貧弱で、そこでは傲慢な学問〔宗教哲学〕が姉〔宗教〕を埋葬したすぐ後で、彼女に向かってお悔やみの微笑を投げかけているだけではないか。彼らは自分にとって最も神聖なことを、これを信じてもおらず、ただ、官憲への恐れのために我慢しているだけの者を相手とした論争で、よくもぬけぬけと繰り返し主張できたものだ。

それだけではない。論者は奇妙なことに、論敵を愛国心が足りない、民族への愛が足りないといって非難する。これはスラヴ派全員に通有の特徴だから、このことについて数言しないわけには行かない。彼らは愛国心を自分たちだけのものだと主張している。彼らは自分たちを他のいかなる者よりもロシア的だと考えている。彼らはわれわれのことを、ロシアの現状への不満を煽り立てている、われわれは民衆のことを良く知らない、といって絶えず非難する。われわれの言葉遣いがあまりに苦々しい怒りに満ち過ぎていて、あまりに露骨過ぎるために、われわれはロシアの現実の暗い側面だけを白日の下に曝け出すことになっている、というわけだ。

しかしながら、どうやら、絞首刑や徒刑や財産の没収や亡命の恐れの下にいる党派にも、愛国心も信念もないわけではないようだ。われわれの知る限り、十二月十四日はスラヴ派がやったことではなかった。あらゆる抑圧を引き受けたのはわれわれだった。今日に至るまで、運命はスラヴ派を慈しんできたのだ。

確かにその通り、われわれの愛には憎しみがある。われわれは苛立っている。われわれもまた、自分たちが陥っている境遇の故に、政府を非難するのと同じように、民衆をも非難している。だが、われわれは最も厳しい真実を口にすることを恐れない。われわれがそれを言うのは、真実を愛しているからだ。われわれは現在から過去へと逃げない。というのも、歴史の最後のページこそが現実であることを知っているからだ。われわれは民衆の苦痛の叫び声に耳を塞がない。奴隷制度が民衆をどれほど損なってきたか、心に深い痛みをもって直視する勇気が、われわれにはある。これらの悲しい帰結を隠しておくこと――それは愛ではなく、欺瞞である。われわれの目の前には農奴制があるのだ。それなのに、われわれは悪口を言うと言って非難されるのか。貴族や政府に収奪され、ほとんど目方で売り買いされ、鞭で侮辱され、法の外に置かれた農民の惨めな有様を目の当たりにしてもなお、いつどんな時でも、良心の呵責に、農民からの非難に思い悩まないでいるようにと、求められているのか。スラヴ派はウラジーミルの時代の伝承を読むことを好む。彼らはラザロが潰瘍に覆われてではなく〔新約「ヨハネ」十一章〕、絹の衣を着た姿で自分たちの前に現れることを願っている。彼らには、エカテリーナと同じように、ペテルブルクからクリミアまでの街道沿いに、ボール紙の村や庭園を描いた装飾を立て並べて置くことが必要なのだ。(4)

ロシアの現状に対してロシア文学が発している大いなる告訴状、われわれの誤りに対するこの余すところのなく熱烈な拒否、われわれの過去に対する嫌悪の告白、現在に赤面を余儀なくさせるこの苦いアイロニー、これらこそがわれわれの希望であり、救いであり、ロシア的本性の進歩的要素なのである。

スラヴ人たち〔スラヴ派のこと〕がかくも大袈裟に崇拝するゴーゴリが書いた物の意義はいかなるものか。ロシアの現実を晒し物にした杭を、ゴーゴリ以上に高いところに立てた者が他にいただろうか。

《モスクワ人》誌の論文の筆者の言うところによれば、ゴーゴリは「坑夫のように、雷鳴も地揺れもない不動で単調なこの無音の世界に、新鮮であるもの全て（これはスラヴ派の言うところである）をゆっくりと飲み込み、元に戻すことのない底なし沼に降りて行った。彼は坑夫のように地底に降りて行き、まだ手つかずの鉱脈を見つけた。」〔前掲サマーリン論文からの引用〕確かに、ゴーゴリは未開の土地の下にこの力、人の手に触れられていないこの鉱石があることを感じ取った。おそらく、彼はこの鉱脈に触れたはずだが、不幸にして、彼は底に行き着いたものと、あまりに早く思い込んでしまった。そして、地均しを続ける代わりに、金《きん》を探し始めてしまった。その結果どうなったか。彼はこれまで壊そうとしてきたものを擁護し、農奴制を正当化し始め、その挙句、「恩顧と愛情」を体現する者の足元にひれ伏してしまったのである。

スラヴ派はゴーゴリの転落について何と言っているか。彼らがこの転落の中に見出すのは、おそらく、ゴーゴリの弱さというよりは、むしろ論理的必然性だろう。正教的謙譲や人間の個性を公の個性の中に置いてしまうような自己否定から、専制の神格化までは、たった一歩の隔たりがあるだけだ。

だが、皇帝の側に立つことによって、人はロシアのために何を為しうるのだろう。偉大なツァーリ、ピョートルの時代は終わってしまった。偉大な人物、ピョートルはもはや冬宮にはいない。彼はわれわれの内にいるのだ。

このことを理解するべき時が来た。そして、今となっては児戯に等しくなってしまったこの争いをやめて、ロシアの名のもとに、また、同様に、独立の名のもとに、結束すべきだ。

いつなんどきヨーロッパ社会の古い建物が崩れ落ち、ロシアが巨大な革命の奔流に巻き込まれるか分からないというのに、内輪の言い争いをいつまでも続けていてよいのだろうか。われわれにおそらく期待されているような助言や意見を語る準備が出来ていないからと言って、われわれは事の成り行きに身を任せていていいのだろうか。

果たして、われわれは和解のための開かれた場を持っていないだろうか。

ヨーロッパを二つの敵対陣営にかくも決定的に、そして深く分断している社会主義を、スラヴ派は果たしてわれわれと同じように承認していないだろうか。この橋の上で、われわれは互いに手を差し伸べ合うことが出来るのではないだろうか。

訳注

(1) 現トラブゾン、トルコの黒海沿岸の町。一二〇四—一四六一にこの町を首都とする同名の帝国があった。

(2) 《現代人》誌一八四七年二号に掲載されたカヴェーリンの論文「古代ロシアにおける法制の概観」。

(3) 《モスクワ人》誌一八四七年第二部に掲載されたサマーリンの論文「《現代人》誌の歴史と文学に関する見解について」。

(4) 一七八七年、エカテリーナ二世は愛人ポチョムキンによって略取されたクリミア半島を行幸したが、その時、ポチョムキンは自ら獲得した地域がいかに豊かな土地であるかを誇示するために、沿道に裕福にみえる家々の張りぼてをしつらえたという。

エピローグ

二月革命に先立つ七年ないし八年の間に、革命思想はより広範囲にわたったプロパガンダと内なる活動のおかげで、これ以上にないほどに発展を遂げた。政府もどうやら抑圧に疲れてしまったようだ。

他のいかなることにも勝る意義を獲得し、政府や貴族や民衆を不安にさせ始めた最も重要な問題は、農民の解放という問題であった。首に枷を付けたままでは、もうこれ以上先へは進めないことを、誰もがよく理解するに至ったのだ。

一八四二年四月二日の勅令は、貴族と農民の双方の話し合いで取り決めた年貢や義務を見返りに、幾つかの権利を農民に譲渡するということを貴族に促したが、これは政府が農奴制の撤廃を望んでいたことを、かなりはっきりと示している。

県の貴族階級は動揺し、農奴制の廃止の是非を巡って二つの党派に分かれた。選挙の集まりでは、勇を鼓して農民の解放について語る者も出始めた。政府は二、三の県庁所在地に農奴解放の方法を審議するための委員会を設置させた。(1) 地主たちの一部は激高した。この最も重要な社会問題に地主たちが見たのは、ただ、自分たちの特権と財産が攻撃に晒されているということだけだった。彼らはツァーリの側近にも支持されていると感じ、あらゆる新機軸に抵抗した。若い貴族層はずっとよくものが見え、計算高く対応した。われわれがここで語っているのは、自己犠牲と自己否定の精神に満ちた少数の者たちのことではない。彼らにはロシアの額から「農奴制」という侮辱的な言葉を拭い去り、農民の忌まわしい収奪を償うために、自分たちの所領を犠牲にする用意ができてはいたが、しかし、熱心家が一つの階級を丸ごと率いるということは、革命が最高潮に達した時でない限り、決してできないことだ。一七九二年〔正確には一七八九年〕の八月四日に、心の広い少数派がフランスの貴族階級を率いたようなわけにはいかないのだ。(2) 解放に与《くみ》する者の大多数がそれを願ったのは、彼らがこれを正義と理解していたからではなく、致し方のないことと認めていたからであった。彼らは損失を最小限に食い止めるために、解放が時宜を違わずなされることを願っていた。彼らは自分たちが権力を持っている内に、主導権を握りたかった。なまじ抵抗したり、あるいは手を束ねたりしていては、皇帝か民衆が解放の事業を引き受け、事をとことん押し進め、領地の没収という事態にまで行き着いてしまうというのが、最も想定される方向だったからである。

政府部内における解放派の代表である国有財産管理相キセリョーフと、四月二日付けの勅令を自己流の解説によって抹殺してしまった内務相ペロフスキー(3)の下へは、帝国の隅々から草案が送られて来た。それらの出来の良し悪しは別にして、それぞれが深い憂国の思いを示していた。

意見や見解に相違があったり、立場や地域の利害意識に違いがあったりはしたが、そこには議論の余地なく採用されていた同じ一つの原則があった。それは、政府も貴族も国民も、いずれも農民の土地なし解放を考えてはいなかったということだ。農民に対する譲歩の程度や、彼らに提示すべき条件などを規定する意見は千差万別だったが、古い経済学のよほど頭の固い信奉者でない限り、農民をプロレタリアート化するような解放を、真面目に考える者はいなかったのである。

二千万もの人間をプロレタリアにするということからは、とりもなおさず、その先に政府も地主も蒼ざめるような事態が見えていた。しかし他方で、所有権の宗教や、所有の絶対的にして不動の権利や、これらの無制限の享受といった視点からする問題解決の仕方では、農民大衆の蜂起と土地所有権の暴力的喪失の危機という事態なしでは済まされなかった。しかも、武力による所有の変更ということは、経済学によって正式に証明された既定事実として受け入れられているのだ。

人間がほとんど物として扱われ、土地の所属物と見なされ、所有物の一部として所領共々売り買いされている国に、所有権に対する偶像崇拝がそれほど発達していなかったというのは、一見したところ、奇妙に見えるかもしれない。だが、わが国で所有権が手厚く保護されてきたのは、それが既得物と見なされていたからであり、権利として認められていたからではない。その権利の愚かしさが双方にとって――自分の農民を所有していた地主にとっても、自分自身の所有者でなかった農奴農民にとっても――明らかなところに、それの無誤謬性や正当性への信仰を根付かせるのは難しい。地主の諸権利の由来にはかなり怪しいものがあるということを、誰もが知っている。一連の恣意的措置、警察的措置により、次第に農耕者のロシアが貴族のロシアに隷属させられて行ったのだということは、皆が知っている。となれば、これを解放するような別のやり方だって考えることができるというものだ。

きちんと規定された法的観念そのものがなく、諸々の権利が曖昧なだけに、所有権という理念を確実なものにし、これにきちんとした形を与えるということは、それだけ容易ではなかった。ロシアの民衆はただ農村共同体だけで生きてきたし、自分たちの権利や義務を共同体との関係だけで理解してきた。共同体の外からのいかなる義務も彼らは認めない。それは彼らから見れば暴力に他ならない。これに従うということは、彼らには力に従うということに過ぎない。法の一つの部分の誰の目にも明らかな不公平は、彼らの中に、法の別の部分への軽蔑をも募らせた。裁判における全くの不平等は、彼らの中で法律というものへの尊重の念を、その萌芽の内に殺してしまったのだ。ロシア人というのは、どの階級に属しているかに関わりなく、罰せられないとなれば、どこでも法を侵す。政府だって同じことをやっている。もっともこのことは、差し当たりは、我慢のならない悲しむべきことではあるが、しかし、将来的には大きな優位性もあるのだが。

ロシアには目に見える国家の陰に、現存する物事の秩序の神化、あるいは変容とも言うべき、目に見えない国家というものがない。常にその実現を約束しながら、現実とは決して一致することのない、達成不能な理想というものがないのだ。われわれの力を凌駕する力が、われわれを包囲しているこの柵の向こうには、何もないのである。ロシアにおける革命の可能性の問題は、物質的な力の問題に帰着する。われわれが先に触れたのとは異なる別の事情(4)を考慮の内に入れなければ、このことこそがこの国を社会的再生のための条件の最良の形で用意された土壌とするだろう。

既に述べたように、一八三〇年以降、サン・シモン主義の登場とともに、社会主義はモスクワの知識人たちに大きな影響を及ぼした。共同体とか土地の分割とか「アルテリ」と呼ばれる労働者の組合に慣れ親しんでいたわれわれは、この教説に諸々の政治的教説以上に身近な感覚の表現を見た。権力のこれ以上にないほどの醜怪な濫用を目の当たりにしてきたわれわれは、社会主義に西欧のブルジョアほどに当惑しなかったのだ。

次第に、文学作品にも社会主義的傾向や雰囲気が浸透してきた。長編小説も短編小説も、スラヴ派の書く物までも、政治的観点からだけでなく、現代社会に抗議した。このことはドストエフスキーの小説『貧しき人びと』〔一八四六年〕を挙げれば十分だろう。

モスクワでは社会主義はヘーゲル哲学と共に広まった。新しい哲学と社会主義の提携を想像することは難しいことではないが、つい最近になって、ドイツ人が学問と革命の緊密な関係をやっと認識するようになったのは、彼らがこれまでこの関係を理解していなかったからではなく、社会主義が、すべて実践的なものと同様、彼らの関心を引かなかったからだ。ドイツ人というのは行動では保守的なくせに、学問においてはひどく急進的になれる。紙の上では詩人なのだが、生活の上ではブルジョアなのだ。その点、われわれは逆で、二元論に我慢がならない。社会主義はわれわれには最も自然な哲学的三段論法に、国家への論理学の応用に見えるのである。

社会主義がペテルブルクでは別の性格を帯びていたということは、指摘しておく必要がある。そこでは、革命思想はいつでもモスクワよりずっと実践的である。ペテルブルク人の冷たいファナチズムは数学者のファナチズムである。ペテルブルクでは秩序や規律や応用が好まれる。モスクワで論争している内に、ペテルブルクでは一つにまとまる。フリーメーソンと神秘主義はこの都市に最も熱烈な信奉者をもっている。聖書協会の機関誌《シオン通信》はまさにあそこで刊行されていた。十二月十四日の陰謀が成熟したのもペテルブルクでのことだった。モスクワでなら、これは広場に出るというほどにまでは、決して発達しなかったことだろう。モスクワでは話をまとめるのは難しいのだ。ここでは一人ひとりがあまりに我儘《わがまま》であり、あまりに活発すぎるのである。モスクワの方が詩的要素は多く、学識も豊かだが、同時に、他人のことには無関心で、我が道を行く。無駄口も多いし、異論も多い。不明瞭で宗教的で、それでいて分析的なサン・シモン主義はモスクワ人に驚くほどによく適合した。彼を研究し終えた彼らは、ヘーゲルからフォイエルバッハに移って行ったように、ごく自然にプルードンへと移って行ったのである。

ペテルブルクの若い学徒たちには、サン・シモン主義よりフーリエ主義の方が適している。現実への速やかな適用を目指すフーリエ主義は実践的な応用を望んだが、これもまた夢想に過ぎなかったとは言え、その夢を算数の計算式で基礎付けし、産業という表題のもとに詩情を隠し、自由への愛は旅団編成の労働者の団結の下に隠そうとしていた。

要するに、フーリエ主義がペテルブルクで共鳴を得られないはずはなかったのである。ファランステール〔フーリエの構想した協同組織〕とはロシアの共同体と労働者の兵営に他ならず、市民流の屯田兵制度、工員たちの連隊のことだ。どうやら、政府と公然と戦おうという反対派は、政府の性格に通じる性格を持つものらしい。もちろん、反対の意味においてだが。私は、政府が共産主義に対して持ち始めている恐怖には、一定の根拠があると確信している。共産主義とは裏返しにされたロシアの専制なのだ。

ペテルブルクはその断固として、おそらくは、視野の狭い、しかし、活動的で実践的な見解の故に、モスクワを追い越すだろう。主導権の名誉はペテルブルクとワルシャワのものとなるだろうが、しかし、ツァーリズムが倒れた暁には、自由の中心は民族の心、モスクワとなるだろう。

フランスにおける革命の完全な失敗、ウィーンにおける革命の不幸な結末、ベルリンにおける革命の喜劇的フィナーレなどは、ロシアにおいては反動の強化の始まりであった。またしても、万事が麻痺させられた。農奴解放の草案は投げ捨てられ、あらゆる大学の閉鎖の決定がこれに代わった。二重の検閲が導入され、外国行きのパスポートの交付にあたっても、新しい制約が設けられた。新聞、雑誌、言論はおろか、着るものや女性や子供たちの素行までもが規制の対象となった。

一八四九年に英雄的青年の新しい一連隊が牢獄に送り込まれ、そこから徒刑労働やシベリアに送り出された。* 陰鬱なテロルが新しい芽をすべて押し潰し、全ての者をして首《こうべ》を垂れさせ、知的生活はまたしても身を潜めた。時に姿を見せることがあったとしても、それはただ恐怖によって、声にならない絶望によってだった。それ以来、ロシアから届くいかなる消息も、嘆きと深い悲しみとで心を満たすのであった。

＊　われわれが念頭に置いているのはペトラシェフスキーの会のことである。これには社会問題を論ずるために若い人たちが集まっていた。このクラブは数年間存続していたが、ハンガリー出兵に先立ち、政府はこのグループに広範囲にわたる陰謀の疑いありとして、大人数の逮捕に踏み切った。
　謀議を疑ってみたものの、見つけることが出来たのは意見の交換だけであった。しかし、そのことが、恩赦を与えるという前提で、被疑者全員に死刑の判決を下す妨げにはならなかった。ツァーリは彼らの刑を減じ、徒刑、流刑、兵役などに処した。こうした人びとの中には、スペーシネフ、グリゴーリエフ、ドストエフスキー、カシキン、ゴロヴィンスキー、モンベッリらがいる。

　思想がいつでも力によって屈服させられるという、非対称な闘いの悲痛な光景について、もうこれ以上語ることはやめよう。ここには目新しいことなど何もないのだ。これは、歴史の全体を貫き、時として、毒薬や磔刑や火刑、銃殺や絞首刑や流刑に行き着く、あの限りない過程なのだから。

何と言っても、ロシア政府が用いる手段は、それがいかに残酷であろうと、進歩の芽を全て圧殺する力はない。それらは多くの者を恐ろしい精神的苦痛の中で破滅させはするが、しかし、われわれはそうしたことに心の準備をしておかねばならない。こうしたやり方によって意気阻喪してしまう者よりも、それによって奮い立つ者たちの方が多いことは疑いもないのだ。

ロシアで革命的原理、すなわち、状況を認識し、そこから脱出したいという志向を現実に圧殺するためには、ヨーロッパもさらに深く、ペテルブルクの原理とそのやり方を体得しなくてはならないだろう。その時、絶対主義へのヨーロッパの回帰はより完全なものになるだろう。フランスの表扉から「共和国」という語を拭い取らねばならない。これは、たとえ偽り、あるいは、冗談であっても、恐ろしい言葉なのだから。ドイツからは、うっかり与えられてしまった言論の自由への権利を取り上げなくてはならない。プロシアの憲兵がクロアチア人の助けを借りて、無学の徒によって泥の中を引きずりまわされたグーテンベルクの銅像の台座に乗った最後の印刷機を壊すその翌日に、あるいは、パリの刑吏が法王の祝福を得て、革命広場でフランスの哲学者たちの著作を燃やすその翌日に、ツァーリの全能はその頂点に達するだろう。

こんなことがありうるだろうか。

今日、何が可能で何が不可能だと、一体誰に言えるだろうか。闘いは終わっていない。闘いは続いているのだ。

ロシアの未来が今日ほどヨーロッパのそれと緊密に結びつけられている時は、これまでなかった。われわれの期待は全ての人たちの知るところである。しかし、われわれがいっかなこれに応えようとしないのは、それは、未来がわれわれに見通しの誤りを露呈させることを恐れる、空疎な虚栄心からではなく、その回答が必ずしも専ら国内的条件に依存しているわけではない問いの中では、何も予見できないからだ。

一面において、ロシアの政府はロシア的ではない。それは概して専制的であり復古的である。スラヴ派が言うように、それはロシア的というよりは、むしろドイツ的である。そして、まさにこのことが、ロシア政府に対する他の国々の政府の共感や愛顧を説明している。ペテルブルクは新しいローマ、世界的奴隷制度のローマであり、絶対主義の首都である。まさにそれゆえに、ロシアの皇帝はオーストリアの皇帝と兄弟の契りを結び、彼がスラヴ人を迫害するのを助けているのだ。彼の権力の原則は民族的ではない。絶対主義は革命よりはずっと国際的なのである。

他面において、革命ロシアの期待と願望は、革命ヨーロッパの期待と願望に一致しており、将来における両者の提携を予言している。ロシアによって持ち込まれる民族的要素は青春の瑞々しさであり、社会主義的諸制度への生来の憧れである。

ヨーロッパ諸国は明らかに袋小路に行き着いた。彼らがなさねばならないのは、必然的に、前に向かって突進するか、それとも、今以上に大きく後退するか、そのどちらかだ。アンチテーゼは余りに厳しく、問題は余りに先鋭化し、苦悩と憎悪がこれを余りに助長してしまった。そのために、今では中途半端な解決や、権力と自由との和平協定程度では済まされなくなっている。だが、諸国家に今ある形のままでは救いがないとしても、それらの死滅の仕方は極めて多様なものになるだろう。死は再生か腐敗か、革命か反動か、そのいずれかを経て到来することだろう。出来合いの status quo〔現状〕を守る以外にいかなる目的も持たない保守主義は、革命と同じように、破滅的である。それは古い秩序を怒りの熱い炎によってではなく、衰弱という緩やかな火によって消滅させるのである。

ヨーロッパで保守主義が優位を占めることになれば、ロシアの皇帝権力は文明を蹂躙するばかりか、文明化された人びとの階級全体を殲滅するだろう、そして、それから……。

それから——気が付けば、われわれは新しい問題、秘められた未来の前にいる。文明に勝利した専制は、今度は農民の蜂起、プガチョフの反乱に匹敵する大規模な反乱に直面することになるだろう。ペテルブルクの政府の力は生半可な文明と、それが文明化された階級と農民階級との間に吹き込んだ深い反目とに基礎をおいている。政府は絶えず前者に支えられている。それはまさに貴族の中に資材と人材と知恵を見出している。自分の手でこんな重要な道具を壊してしまえば、皇帝はまたしてもツァーリになってしまう。そして、そのためにはもう一度ひげを生やさせ、ジプーン〔裾長の上着〕を着させるだけでは十分ではないだろう。ホルシュタイン＝ゴットルプ家〔歴代のロシア皇帝にはこの家系の血が流れている〕は余りにもドイツ的で、あまりにも衒学的で、あまりにもお行儀が良いので、半開なナショナリズムの抱擁にあからさまに身を任せて、民衆運動の先頭に立つことはできないだろう。何と言っても、この運動はそもそもの始まりから、貴族に長年のツケを支払うことを求め、農村共同体の秩序を全ての領地や都市はおろか、国家全体にまで広げることを望むであろうから。

われわれは共和制的な諸制度に囲まれた君主制を見たが、われわれの想像は共産主義的制度に囲まれたロシア皇帝を想定することを拒否する。

この遠い未来が実現される前に、少なからざる出来事が起こることだろう。そして、皇帝のロシアの反動的ヨーロッパへの影響力は、ロシアに対する後者の影響に劣らず致命的なものとなるだろう。世界を悩ませている問題に銃剣をもって終止符を打とうと望んでいるのは軍服を着たロシアなのだ。文明世界の戸口で海のようにざわめき、どよめいているのもロシアなのだ。ロシアはいつでも岸壁を乗り越えようと身構え、侵略に飢えたようにいつも身を震わせている。まるで、自分の身を持てあましているかのように、まるで、良心の呵責と狂気の発作とが、その君主たちの理性を曇らせているかのように。

この扉を開けることが出来るのはただ反動だけだ。他ならぬハプスブルクとホーエンツォレルンがロシア軍の友好的支援を要請し、ヨーロッパの心臓部にこれを引き入れることだろう。

偉大なる秩序の党は、その時になってやっと、強力な政府とはいかなるものか、権力への敬意とはいかなることかを知ることになるだろう。われわれはドイツの諸侯にグルジアの王子たちの運命がいかなるものであったかを、今の内によく知っておくように忠告する。彼らはペテルブルクで若干の金《かね》と殿下という尊称と、王家の紋章を馬車に付ける権利とを与えられたものだ。しかし、革命的ヨーロッパが帝政ロシアに打ち負かされることはあり得ない。それはロシアを恐るべき危機から救うだろう。そして、自らロシアから救われるだろう。

ロシア政府が二十年にわたる努力の挙句に得たものは、ロシアを革命的ヨーロッパと断ちがたい絆によって結びつけたということだけだった。ロシアとポーランドの間にはもはや国境はない。

だが、ヨーロッパはポーランドの何たるを知っている。力に余る闘いにおいて全世界から見捨てられたこの民族、それ以来、他の国民が自由を勝ち取るためのあらゆる闘いの場で、自ら夥しい血を流してきたこの民族の何たるかを。数の上では負けはしたが、敗者としてではなく、むしろ勝者としてヨーロッパを横断し、他国民の間に散り散りになりながらも、彼らに――不幸にして成功しなかったとはいえ――敗北にも卑屈になることなく耐え、なお信念を失わないでいる術を伝えたこの国民のことを、誰もが知っている。このように、ポーランドを滅ぼすことはできるとしても、これを征服することはできない。ワルシャワの町を廃墟と化し、その広場に碑銘だけを建てよという、ニコライの脅しを実行することができても、これをバルト沿岸の大人しい諸県に倣って、ロシアの奴隷にすることはできない。

ポーランドをロシアと結びつけることによって、政府は革命思想の壮大なる行進のための橋、ヴィスワ川に始まり、黒海で終わる巨大なる橋を構築してしまったのだ。

ポーランドは死んだ国と見なされている。しかし、一八四八年にポーランドの代表団の弁士が言ったように、いかなる点呼にもポーランドは「はい、ここに」と応える。だが、ポーランドは西側の隣人に信を置くことが出来ない以上、動き出すべきではない。というのも、ポーランドはナポレオンの同情と、「ポーランドの民族は不滅だ」というルイ・フィリップの有名なセリフの意味したものを、知り尽くしているのだから。

われわれが疑っているのはポーランドでもロシアでもない。われわれが疑っているのはヨーロッパだ。もし、われわれがヨーロッパの諸国民に対して少しでも信頼の念を抱いているならば、ポーランドの人たちに喜んでこう言えるのだが。

「兄弟たちよ、諸君の運命は私たちの運命よりももっと悪い。諸君は多く苦しんできたが、もう少しの辛抱だ。諸君の不幸の先には偉大な未来が待っている。諸君は崇高なる復讐を為し遂げるだろう。そして、諸君を鎖につないだ当の国民の解放を助けてくれるだろう。ツァーリと専制という名における諸君の敵の中にも、諸君は独立と自由の名のもとに、自分たちの兄弟を見分けてくれることだろう。」

訳注

（1）一八四七年にニコライ一世はスモレンスク県の貴族の代表に農奴の解放を巡る問題を内々に検討するように命じた。同様の指示がトゥーラやヴィテプスクなどの県の貴族にも為された。

（2）一七八九年八月四日、国民会議はエギオン公爵やノアイユ子爵ら少数派の提案を容れ、蜂起した農民に譲歩して封建的諸特権の放棄を決定した。

（3）ペロフスキーは諸県の知事に配布される官報の中で四月二日の勅令の意味について解説し、土地は従来通り地主の所有とされるとの解釈を公表した。

（4）ロシア農民の非自立性のことを言っている。

付論　ロシアの農村共同体について

ロシアの農村共同体はいつのころからと分からない程遠い昔から存在しており、それとかなり似た形態の共同体は、全てのスラヴの種族に見られる。それがないところはゲルマンの影響の下で消滅したのである。セルビア人、ブルガリア人、モンテネグロ人には、それはまだロシアより純粋な形で保持されている。農村共同体は、言うなれば、社会的単位であり、道徳的な人格であり、国家といえどもこれに介入することは許されなかった。共同体は課税の対象となる所有者であり、全ての者に、また、一人ひとりに責任を負い、それ故、その内部の事柄に関するあらゆることで自治的なのである。

その経済原則はマルサスの有名な命題とは完全な対極をなす。それは例外なく、あらゆる成員に食卓の席を提供する。土地は共同体に属し、その成員一人ひとりに属するわけではない。個々の成員は同じ共同体内の他の成員が持つのと同じだけの土地を持つことを、不可侵の権利として保有する。この土地は彼が生きている限り、彼の占有地として与えられる。彼はこれを遺産として遺すことはできないし、そもそも、その必要がない。彼の息子は、成人に達するや、父親が生きていても、共同体に土地の分与を求める権利を得るからである。父親に沢山の子供がいる場合、彼らは成人に達すると、それぞれが土地の区画を受け取る。他方、家族の一員の誰かが亡くなると、土地は再び共同体に戻される。

余程の高齢者が土地を返却すると、租税の支払いを免れる権利を得るということも、しばしば起こる。一時的に共同体を離れる農民も、だからと言って、土地に対するこの権利を失うわけではない。彼から土地を取り上げることが出来るのは、共同体の（あるいは政府の）宣告により追放された場合だけだが、こうした措置が共同体によって為されるのは、村の寄り合いにおいて全会一致の決定が得られた場合に限られる。しかしながら、共同体がこうした手段に訴えるのは、余程のことがあった場合だけだ。最後に、農民が自分の意志で共同体を離れる場合にも、彼は土地に対する権利を失う。その場合、彼が持ち出すことが許されるのは、自分の動産だけである。ただ、稀に、自分の家を処分したり、移築したりすることが許されることもある。こうしたわけで、農村プロレタリアートというのはあり得ないことである。

共同体に土地を占有する者は全て、つまり、成人に達し租税を課せられている者は全て、共同体の事柄に発言権を有する。長老とその補助者は村の集会で選ばれる。他の共同体との間の揉め事や、土地の分配や税の割り当ても同じように処理される。（というのは、課税は本質的に個人ではなく、土地に対して為されるからである。政府はこれを専ら頭数で算出するのだが、共同体は実際に働いている者、すなわち、自分用の土地を持つ働き手を課税単位と見なしている。）

長老（スターロスタ）は成員一人ひとりに対しては大きな権限を持っているが、共同体全体に対してというわけではない。共同体が何らかの形で意見の一致を見た時には、それは長老の権限をいとも簡単に制約し、彼が人びとの意志に従おうとしない時には、彼にその職責から退くよう強いることも出来る。しかし、彼の活動の範囲は主として行政的領域に限られる。純粋に警察に関わる問題以外は、旧来から行われている慣習に従うか、家長たち、一門の長《おさ》たちの助言に基づくか、最終的には、村の寄り合いで決着を付けられる。ハクストハウゼン氏はここで、長老が共同体を専制的に支配していると主張することによって、誤りを犯した。* 長老が専制的に支配できるのは、共同体全体が彼に全面的な支持を与えている時だけなのである。

＊　彼が一八四七年にドイツ語とフランス語で同時に刊行した、農村ロシアに関する興味深い

が凄まじく反動的な著作の中で。

この誤りは氏をして、共同体の長老に皇帝の権力の雛型を見るということに導いた。だが、皇帝の権力はモスクワの中央集権化とペテルブルクの改革の結果であって、これに対抗しうるものはないのに対して、長老の権力は共同体に依存しているのである。

ところで、注意しておかねばならないのは、ロシア人は、貴族か町人でなければ、みな共同体に所属しており、都市の住人の数は農村人口に比べて圧倒的に限定されているということで、こうしたことからも、多数のプロレタリアートが生まれることはあり得ないのは明らかである。都市労働者の大多数は貧しい農村共同体、とりわけ、土地の少ない共同体の一員である。しかし、既に述べたように、彼らと言えども、共同体における諸権利を失っているわけではない。それゆえ、工場経営者は労働者たちに、彼らが野良仕事で得られるよりいささかなりとも多く支払わざるをえないこともあるのである。

こうした労働者は、しばしば、冬の間だけ都会に滞在するが、中には何年も都会に住む者もいる。そういう者たちは労働者の大きなアルテリに統合されている。これはロシアの移動共同体といったものである。彼らは都会から都会へと移り住み（職業はどれもほとんど自由なので）、同じアルテリに組織された者の数はしばしば数百人に達し、時には千人に上ることもある。例えば、モスクワやペテルブルクの大工や石工のアルテリや、街道筋の運送業者のアルテリがこうしたものだ。彼らの労働の成果は選ばれた者が管理し、後日、総会で全員の合意を得て分配される。

地主は農民に譲渡された土地を少なくすることができる。彼は自分用に良好な区画を選ぶことができる。彼は土地の占有分を大きくし、そのことによって、農民の労働分を大きくすることができる。彼は年貢を追加することができる。しかし、彼には農民が十分な分与地を持つことを拒否できない。土地が一旦共同体のものとなってしまうと、それは自由な土地と同じ原理に基づいて、完全に共同体の裁量のもとに置かれ、地主は共同体のことに容喙《ようかい》しないのである。

しかし、土地の細分化というヨーロッパ方式と私有財産制を導入しようという地主もいた。こうした試みは、大部分、バルト沿岸地方の諸県の貴族が考え出したものだが、これらはどれも失敗し、地主の殺害や彼らの屋敷の焼き討ちに終わるのが常であった。というのは、これがロシアの農民が抵抗の意を表すのに訴える、民衆的な手段だからだ。*

＊　内務省が刊行している記録により、先の四八年革命以前ですら、毎年六十人から七十人の地主が自領の農民によって殺害されていることが知られる。このことはこれらの地主たちの不法な権利に対する不断の抗議ではあるまいか。

屯田兵制度の導入にまつわる恐ろしい物語は、ロシアの農民をその最後の砦にまで追い詰めた時に、彼らがどうなるかを示した。自由主義者アレクサンドル〔一世〕は村々を襲撃して占拠するよう命じた。頂点に達した彼らの怒りは悲劇に満ちたものになった。彼らは銃剣と榴散弾によって押し付けられる愚かしい制度から自分の子供たちを免れさせようとして、その喉を掻っ切って殺害したのである。このような抵抗に猛り狂った政府は、これらの英雄的な人びとを追及した。政府は柳の笞で彼らを死ぬほどに打ち据えた。しかし、こんなに残酷で残忍な追及にもかかわらず、政府が得たものは何もなかった。一八三一年のスターラヤ・ルッサ〔ノヴゴロド州の古都〕の血みどろの暴動は、この不幸な民衆を鞭で大人しくさせておくことがいかに難しいかを示したのであった。

未開の民族というのはすべてこのような共同体から始めるものだと主張する者がいる。それはゲルマンとケルトでその発展の頂点に達した、インドにもそれはある、というのだ。しかし、と彼らは言い添える――どこでもそれは文明の始まりと共に消える運命にあった、と。

ゲルマンとケルトの共同体は共同体的生活にとって真っ向から対立する二つの社会理念――封建制とローマ法――に出会うことによって崩壊した。だが、幸いなことに、反共同体的文明がその基礎となる原理の故に、個人の権利と共同体の権利との矛盾から逃れることが全くできないというところまで行き着いてしまった時代に、われわれは自分たちの共同体を引っ提げて登場しつつあるのだ。

だが、土地を絶えず分割して行けば、共同体的生活は人口の増加という現象を前にして、おのずから限界に達せざるをえないだろうという人がいる。確かに一見したところ、この見解には深刻な問題が孕まれているように見えはするが、しかし、これに反駁するには、ロシアにはまだまるまる一世紀は土地に困らない、占有と私有に関する問題はその百年の内に何らかの形で解決されていることだろう、と言って置けば十分だろう。

ハクストハウゼンを含めて多くの著述家は、土地所有の在り方が安定性を欠く結果、土地利用の改良は全く行われていない、と主張する。確かに、こうした心配は当然ありうる。だが、農学の愛好者諸君は、西欧的な土地所有のもとで農業の改良がおこなわれながら、人口の大多数は相変わらず酷い貧困の中に取り残されている、ということを忘れている。農学的見地からすれば、いくたりかの小作人が一層豊かになり、耕作の技術が進歩することを、プロレタリアートが置かれている、食うや食わずの絶望的な境遇に対する十分な償いと見なすことができるなどという意見に、私は与するものではない。

農村ロシアは、外からみればあらゆることに屈服してきたかのようだが、実際には、ピョートル一世の改革を何一つ受け付けなかった。彼はこのことに消極的な抵抗を感じ取った。彼はロシアの農民が嫌いであった。彼は彼らの生活の在り方を何も理解していなかった。彼は犯罪的な軽率さをもって、貴族階級の権限を強化し、農奴制の鎖をさらにきつく締め上げた。それからというもの、農民はこれまで以上に自分たちの共同体の中に閉じこもり、そこから出る時には、周囲の者に不信の目を投げかけた。彼らは警察と裁判に敵を見ている。彼らは地主に、いかんとも抗しがたい粗暴な力を見ているのである。

それ以来、彼らは受刑者をみな不幸せな人ということばで呼ぶようになり、制服を着た者の取り調べを受けた時には、宣誓のもとでも嘘をつき、全てを否認するようになった。制服を着た者は彼らにはドイツ的政府を代表している者のように見えたのである。百五十年の歳月が流れたにもかかわらず、彼らは新しい秩序と何一つ和解することなく、これからさらに離反するばかりなのである。

ロシアの農民は多くのことに耐え、多くのことで苦しんできた。彼らの苦しみは軽減することなく今なお続いている。だが、彼らは自分自身であり続けている。仲間から離れて国の広大な空間に散り散りになり、それぞれ小さな共同体に閉じ籠っていても、彼らは消極的な抵抗の中に、自分の性格の持つ力の中に、自分を保持する手立てを見つけて来た。彼らは頭を深く垂れた。そして、不幸はしばしば彼らに触れることなく、彼らの頭の上を通り過ぎて行った。まさにこれ故にこそ、ロシアの農民は、その境遇にもかかわらず、キュスティーヌやハクストハウゼンをかくも驚嘆させたほどの機敏さと知恵と、そして、美しさを持ち続けているのである。

〈一八五〇―一八五一〉

訳者解説

本書（以下、適宜『革命思想』と略称する）は、ロシアの発祥以来十九世紀半ばまでのロシアの文化史、文学史、思想史に関する先駆的にして古典的な名著として、その評価はつとに定着している。その翻訳が『ロシヤにおける革命思想の発達について』という表題の下で、金子幸彦氏（以下、敬称略）の手により岩波文庫の一冊としてわが国で初めて世に出たのは、一九五〇年（昭和二五年）のことであった。その後、二〇〇二年に十四刷が出たのを最後に、品切となったまま今日に至っている。こうして、初訳が出てから七十四年、本書の役割は、あたかも、既に終えたかに見えるのである。

しかし、訳者の見るところによれば、本書、とりわけピョートル大帝の登場する十八世紀初頭以降、この本の書かれた十九世紀半ばまでのロシアの文学と思想の歴史に対するゲルツェンの評価の数々は、今日に至るも色褪せてはいない。それどころか、その色は、この数年来、むしろ鮮やかさを一段と増しているようにすら見えるのである。

ここに新たな訳を呈し、その今日的な存在理由を改めて世に問う次第である。

本書の課題

この本が書かれた一八五〇―五一年とは、アレクサンドル・ゲルツェン(一八一二―一八七〇)個人の生活にとってどのような時期に当たるか。

ゲルツェンが一家を上げて雪深いロシアを後にするのは一八四七年一月のこと――以後、彼とその家族は二度とロシアの地を踏むことがなかった。ゲルツェンが政府からの再三の帰国命令を無視し、「国外永久追放」の処分を受けるのは一八五〇年九月、つまり、この本を書いている最中のことである。

これに先立つ二年前の一八四八年、ゲルツェンはパリで「六月事件」を現場で目撃している。これは同年二月、いわゆる「二月革命」で成立した政府がその共和制を護るためと称して、これに異議を唱える民衆の「暴動」を大々的に弾圧した事件のことである。ゲルツェンは西欧文明の精華ともいうべき「花の都」パリのど真ん中で、いかなる大義名分のためとはいえ、人びとの血がかくも大量に流されたことに驚愕し、恐怖した。彼はこの事件にブルジョア(ゲルツェン流に言えば「町人」、つまり「プチブル」)に支配された西欧文明が、すでにその役割を終えつつあることを痛感する。『革命思想』と同じ時期に書かれた『向こう岸から』は、「死滅しつつある町人的西欧文明」への挽歌であり、新しい社会原理(「ロシア社会主義論」)の模索の書であったが、『革命思想』もまた、ゲルツェンのこのような課題意識を共有している。

「六月事件」以降のパリの日々は、ニコライ一世治下のロシアを逃れ、半ば亡命者的な生活を送っていたこの地のロシア人たちにとっても、ロシアでの生活以上に陰鬱であった。パリのそんな雰囲気を嫌い、四八年末ともなると、彼らは皆ロシアに帰って行った。その中には、作家のツルゲーネフやアンネンコフらもいた。だが、ゲルツェンは敢えてパリに残った。いや、それどころか、祖国を捨てもした。それは何故か。

ゲルツェンは『向こう岸から』の中で書いている。

「私が残るのはここには闘いがあるからだ。血と涙にもかかわらず、ここでは社会のもろもろの問題が解決されつつあるからだ。ここでの苦しみには刺すような痛みがある。しかし、黙って耐えられているわけではない。闘いは公然と行われ、逃げ隠れする者はいない。打ち負かされた者は哀しい。しかし、彼らとて闘う前に打ち負かされたのではない。抑圧は大きいが、しかし、抗議の声も大きい。言葉が滅びないところでは、なすべきことも滅びない。この公然たる闘いのゆえに、この言論のゆえに、私はここに残る。」

ゲルツェンはその熱い決意をさらに大書して言う。「人間の尊厳のために。自由な言論のために。」（拙訳『向こう岸から』平凡社ライブラリー、一八―一九、二〇ページ、強調原文）「人間の尊厳」と「自由な言論」の故に西欧に残る決意をしたゲルツェンは、二つの課題を自らに引き受ける。

一つは、ロシアで物言えぬ仲間たちに代わり、自らロシアに向かって国外から自由な声を発すると同時に、彼らに自由に語る場を提供するということであり、もう一つは、西欧に向かって「ツァーリのロシア」とは異なる別のロシア――「民衆のロシア」や「革命のロシア」もあることを知らしめ、西欧の革命勢力との提携を計るということである。

ゲルツェンが一八五三年にロンドンで「自由ロシア印刷所」を開いたのは、第一の課題を果たすためであった。ここからは、ロシア国内では禁書の扱いを受けている書物や《北極星》や《ロシアからの声》や《コロコル（鐘）》といった定期刊行物を出し、自分の書いた論文や国内からの寄書を掲載した。これらは非合法のルートを通じて国内に搬入され、農奴解放期のロシア国内の言論活動に小さからぬ役割を果たすことになる。

他方、第二の課題を果たすために、ゲルツェンは西欧諸国のメディアでロシアについて積極的に発言している。例えば、「ロシア――ヘルヴェークへの手紙」（一八四九年）、

「マッツィーニへの手紙」(一八五〇年)、「ロシアの民衆と社会主義――ミシュレへの手紙」(一八五一年)、「ロシアと古い社会――リントンへの手紙」(一八五四年)などでは、ロシアの農村共同体の持つ現代的意義について書いているが、これらが「民衆のロシア」というコンセプトからの歴史的ロシア論であるとすれば、『革命思想』は「革命のロシア」というコンセプトからの「現代」ロシア論である。

時代状況――孤立するロシアと専制化する西欧の狭間で

当時のロシアは西欧社会から(この頃の規模からいえば、「世界」から)嫌われていた。何と言っても、ロシアはヨーロッパの旧体制の守護神であった。時のツァーリ、ニコライ一世は、兄のアレクサンドル一世がナポレオン戦争後に、フランス革命以前の旧秩序の回復とその保持を目的として主唱した、「神聖同盟」の忠実な継承者をもって自ら任じ、ヨーロッパのあらゆる変革運動を威嚇し、時には、実際に兵を送ってこれを蹂躙した。例えば、一八三〇年にはポーランドの蜂起を武力で鎮圧した。ロシアからのさらなる迫害を恐れた万を超す大量のポーランド人たちが西に逃れた(「大亡命」)。また、一八四九年にはハンガリーに出兵し、この地の革命政府を崩壊させている。その勢いに恐れをなした西ヨーロッパの人びとの中には、コサック(ロシア軍)の来襲を本気で恐怖する者も数多くいた。

他方、バルカン半島ではスラヴ系諸種族と正教徒の保護を巡ってオスマン帝国やオーストリアとの対立が既に始まっており、この対立はやがてクリミア戦争(一八五三―五五年)に至り着く。周知のように、この戦争でロシアはオスマン帝国のみならず西欧列強をも一手に引き受け、孤立無援の戦いを余儀なくされることになるのである。

いつの時代でもそうだが、政府の悪評はその国の人びと全体の悪評につながる。この時のロシアもそうだった。それはゲルツェンにとって耐えがたいことであった。彼は『革命思想』の中で書いている。

「ポーランドの革命の高潔な、しかし不幸な残党が、ヨーロッパ全土をさまよいながら、恐ろしい残忍な勝利者たちに関する情報を広めていた時、ロシアを呪う大きな声があらゆる所から、あらゆる言語で鳴り響いた。諸国民の怒りは正当であった……。

自分たちの弱さと無力に顔を赤らめつつ、われわれはわが国の政府がたった今われわれの手によって為したことを理解し、われわれの心は血の出るような苦痛に萎え、目からは苦い涙が流れ出た。

ポーランド人と顔を合わせる時など、いつでも、われわれは目を挙げる勇気を持たなかった。それでも、その政府が為したことで国民全体を非難することが正しいことなの

か、彼らだけに責任を負わせることが正しいのか、私には分からない。」(三四ページ)

だが、他方でゲルツェンには、今日指弾され、批判されなくてはならないのは、果たしてロシアだけなのだろうか、という思いもあった。当時、パリの六月事件に象徴されるように、ドイツの「三月革命」も、「諸民族の春」と謳われた東欧でのオーストリア(ハプスブルク帝国)からの独立運動も失敗に終わり、至るところで古い権力――ゲルツェンの目から見れば「反動」――が復権しつつあり、運動に関わった者たちは処刑されたり追放されたりして、ロンドンやジュネーブは亡命者や避難民で溢れ返っていたのである。そこでゲルツェンは西欧に向かって、「ロシア人を奴隷とおっしゃるあなた方は、果たして自由なのでしょうか」(三一ページ)と問うことになる。ゲルツェンに言わせれば、「ブルジョア化」した西欧諸国の政府も、その非人間的、反人間的権力主義、つまり「デスポチズム」という点で、ロシアの政府と何ら変わるところはないのである。かくして、彼は次のように書く。

「一八四九年という年の何と恥ずかしいことか――期待されていた全てのものを失い、銃殺され、縊られた者たちの屍の傍らで、鎖につながれ、裁判抜きで流刑に処せられた者たちの傍らで、国から国へと追われる不幸な人びとが、辛うじて生きて行けるだけの一かけらのパンを、犬にでもくれてやるように投げ与えられた中世のユダヤ人さながらに遇されているのを見る一八四九年という こんな年に、北緯五九度の地にのみツァーリズムを見ようとするなど、何と恥ずかしいことだろう。ペテルブルクの専制を、そして、唯々諾々とそれに従うわれわれの情けない有様を思うままに罵り、非難の声を浴びせるのも結構だ。しかし、至るところにあるデスポチズムをも罵り、それがいかなる形態を取って現れていようとも、それが同じデスポチズムだということを知るべきではないか。奴隷制を自由と見せかける光学上の錯覚は消えたのだ。」(三五―三六ページ)

諸国民の連帯にむけて

この文章が書かれてから二年ほど後に始まった「クリミア戦争」について、ゲルツェンはイタリア人亡命者ピアンチアニへの手紙(西暦一八五四年十一月三日付け)の中でこんな風に書いている。

「私は現今の出来事について語りたいとは思いません。戦争は人を酔わせるようなところがあります。人びとの目の前には血腥い霧が立ち込めています。彼らは何にも耳を傾けようとはしません。……つまり、私はロシアについても、戦争についても、物を書くことを拒否しているのです。」

さらに十日ほど後の同人への手紙の中では、ゲルツェンは次のように書いている。

「戦争は真に苛烈なものとなりつつあります。戦争、それは古い世界の出来事であり、剝き出しの暴力、熱狂的な自尊心、憎悪の中に発現される民族感情など、われわれが憎んでいるもののすべてです。ここに新しい共和国を創り出すように努めましょう。」(西暦一八五四年十一月十四日付け)

「新しい共和国」とは、ゲルツェンにとっては、「社会主義社会」のことである。

フランス大革命(一七八九年)は「自由・平等・友愛」の理念を掲げて、近代史上初めて「共和制」を樹立させた。それは「第三階級」たる「民衆」による偉業であった。しかし、その成果を「第三階級」の一部たる「町人＝ブルジョアジー」が手中に収めた時、そこで現れた「自由」は彼らにとっての「自由」――彼らだけのための「政治的・経済的自由」でしかなく、革命に続くテロルの横行は「友愛」の精神とは程遠く、今や「第四」の階級となってしまった「民衆」は、相変わらず貧困の中に取り残されたままであった。つまるところ、「平等」の理念も実現されなかったのである。この時代、西欧に登場しつつあった新しい思想たる「社会主義」の課題とは、何よりも、「プチブル＝町人」によって簒奪された「大革命」の理念を、「第四階級」となった「民衆」の手に取り戻すことであった。ゲルツェンの目から見ても、一八四八年二月の民衆の蜂起の意義とは、まさにこのことにあったのである。

ゲルツェンには、しかし、別の視点もあった。それは「人間の尊厳」「個人性（リーチノスチ）」の原理という視点であった。そのことは「六月事件」の一年後に書かれた文章（『フランスとイタリアからの手紙』第十一書簡、西暦一八四九年六月一日付け）に見ることができる。

「権威の廃絶――これこそが共和制への第一歩である。共和制の第一条件は自由であり自立的な人間である。権威は理性の独立性を損なうからである。」「共和制の上にはいかなるものも君臨しない。共和制の宗教は人間であり、その神は人間であり、人間を措いては神も存在しない。まさにその故に、共和制は人間を道徳的なもの、すなわち共同生活を営む能力をもったものと前提する。自由な人間に向かっては、何びとたりとも命令を下すことはできない。」

西欧には、いかに弱体化し欺瞞的なものに堕してしまったとは言え、「言論の自由」もあり「人間の尊厳」の意識もある。それゆえにこそ、ゲルツェンは敢えて西欧に残る決意をしたのであった。

ゲルツェンによれば、この「自由」の理念、「個人性」の原理、「人間の尊厳」の意識こそが、西欧の近代を推進してきた思想的エネルギーの源に他ならなかった。この理念、この原理、この意識に悖るものとの闘いこそが、西欧近代の思想を鍛え、その諸々の秩序、制度を形作ってきたのである。だが、その「自由」、「個人性の原理」、「人間の尊厳」といった思想は、ブルジョア的(町人的)自由、狭隘なエゴイズムに矮小化されることによって歪められ、「共同性」の証したる「平等」や「友愛」という理念と両立しえないものになってしまった。「ブルジョア」支配下の西欧社会では貧富の格差は拡大して社会の分断が進み、社会をして「社会」たらしめている「共同性」はずたずたに引き裂かれてしまったのである。かくして、「自由」の理念、「個人性」の原理、「人間の尊厳」の意識を保持しつつ、「共同性」の原理をいかに再構築するか——ゲルツェンの見るところ、これが現代の西欧社会の最大の課題であった。

しかるに、西欧社会が失ったこの「共同性」はロシアにあっては、農村の「共同体」や都市で働くようになった農民=労働者の「アルテリ」の中に、生き生きとした形で存在している。確かに、こうした組織体は西欧では「近代化」の過程で消滅したものであり、その意味で、このようなものが存続していること自体、ロシアの後進性を表してはいるが、しかし、ゲルツェンの思うに、西欧が自分ではすでに失って久しいこの「共同性」を新しい時代に即応するような形で取り戻そうと腐心している時に、ロシアがそれを引っ提げて歴史の舞台に登場したことの意味は大きい。

だが、ロシアには西欧に比して、著しく劣ったところがある。それは、「共同性」の意識が強固に生き残っていることと裏腹に、「自由」、「個人性の原理」、「人間の尊厳」の思想が未発達なことである。ロシアにあっては、こうした理念、原理、意識は「共同性」の原理によって飲み込まれているのである。

一方(西欧)には「自由」の理念、「個人性」の原理、「人間の尊厳」の意識がありながら「共同性」が失われ、他方(ロシア)には、「共同性」を保持しながら、西欧が持つこれらの理念、原理、意識を持たない――となれば、両者の提携の中にこそ、新しい時代を切り開くための鍵があると言わねばならないだろう。ゲルツェンは両者が抱えるこの問題を「個人と国家の二律背反」という表現のもとで、こう書いている。

「ヨーロッパは個人性と国家の間の矛盾を解決していない。しかし、ヨーロッパはこの問題を提起した。ロシアはこの問題に逆の方向から接近しつつある。しかし、ロシアもまたこれを解決していない。われわれの目の前にこの問題が現れた時から、われわれの対等な関係が始まる。」(二〇六ページ)

そして、ゲルツェンはこの「対等な関係」の中に、西欧とロシアの人びとの提携の可能性を見るのである。彼は書いている。

「ロシアの未来が今日ほどヨーロッパのそれと緊密に結びつけられている時は、これまでなかった。……革命ロシアの期待と願望は、革命ヨーロッパの期待と願望に一致しており、将来における両者の提携を予言している。ロシアによって持ち込まれる民族的要素は青春の瑞々しさであり、社会主義的諸制度への生来の憧れである。」(二二九―二三〇ページ)

思うに、この数行の中にこそ、ゲルツェンがヨーロッパの知識人向けに書いたこの本の意図が凝縮されていると言っても過言ではないだろう。

諸国民の提携ということでは、ジュゼッペ・マッツィーニによる「ヨーロッパ民主中央委員会」の呼びかけがあった(一八五〇年七月)。これは君主たちの「神聖同盟」の向こうを張り、「神と人民」の名の下での諸国民の結束を目的とした「青年ヨーロッパ」が旧勢力の復活の前で力を失った後に、その代替組織として構想されたもので、これにはゲルツェンも参加を慫慂《しょうよう》されていた。しかし、この組織の趣旨からして明らかのように、その理念の根底には「神の摂理」が置かれていた。しかも、その主要なメンバーにはアーノルド・ルーゲのような、「れっきとした無神論者」までもが擬せられていたのである。このことに組織の理念自体の欺瞞性を見たゲルツェンは、敢えて参加を辞退したのであった。

「辞退」を伝えるマッツィーニへの手紙の中で、ゲルツェンは自らの立場を弁明して書いている。

「私が為すべきことを断るためにこのようなことを言っているのだとは考えないでください。いいえ、私は腕をこまぬいて座っているわけではありません。傍観者の役割だけで満足するには、私の血管の中の血の気と性格の中の精力とは、あまりに多すぎます。十三歳の時から、私は同じ理想に仕え、同じ旗の下で闘ってきました。生身の人間の無条件的独立のために、あらゆる抑圧的な権力に抗して、あらゆる隷属に抗して闘ってきました。私は革命の大軍隊ができるまでは、その正規軍に加わることなく、その傍らで、ドイツ人の言うように、〈自分一人の力で〉、コサックさながらに小さなゲリラ戦を続けたいと思っています。」

ロシアにおける「共同性」の運命

ゲルツェンは「共同性」を都市と農村とを問わず、民衆の生活に根差したロシアの内在的な原理と見なしている。これに対して、「専制」は様々な外的事情によって形成された外在的原理である。

ゲルツェンの見るところ、「キエフ公国」と呼ばれる異民族支配の国家においても、「共同性」の原理は保持されていた。この国家はルーシ(ロシアの古称)の大平原に散在し、共同して農耕生活を営んでいた東スラヴ人(「ルーシ」の民)を、外来の民族たるノルマンの一支族、「ヴァリャーグ」が統合することによってできた国であるが、ゲルツエンはネストルの『年代記』の記すところに従い、そこには「征服」という行為はなく、その意味で、「ヴァリャーグ」は「征服者」というよりは「組織者」であったという。彼らは若い国家の様々な分野に刺激を与えながら、自らはやがてその民族的特質を失い、「ルーシの民」に同化していったのであり、そこでは、「公（ヴァリャーグの一族の長）の権力もまた民会（ヴェーチェ）と釣り合いのとれたものだったのである。」（四一ページ）

　では、「絶対主義的権力」はいかにして生じたのか。

　そこへ至るまでには様々な契機があったが、最も直接的な、そして、最も大きな契機となったのは「タタールの軛」からの脱却という、民族を挙げての願望であった。

「タタールの軛」とは十三世紀（年表的に言えば、「一二二三年、南ロシアの諸公軍、カルカ川畔でモンゴル軍に完敗」）から十五世紀（年表的に言えば、「一四八〇年、モンゴル軍とロシア軍、ウグラ川を挟んで対峙するも、モンゴル軍、闘わずして撤退」）にかけて、モンゴルの支配下にあった二世紀半ほどの時代のことを言う。この間に、北東ルーシの地で様々な幸運な要因によって力をつけて来たモスクワ公国を中心にタタールへの対抗勢力が形成され、遂にイワン三世の時代に、タタールの駆逐という宿願を果たすことになるのである。こうした経緯を踏まえ、一般には、この「中央集権的な絶対主義的権力」の存在こそがロシアに民族の独立をもたらしたとされている。

だが——とゲルツェンは痛恨の思いを込めて強調する。

「われわれは、モスクワの絶対主義がロシアを救う唯一の手立てであったと考える者ではない。」(五二ページ)

ロシアを救うオルターナティヴとゲルツェンが考えるのは、都市の民会の自治的共同体的原理である。ゲルツェンによれば、これはまだ「タタールの軛」の下でなお、健在であった。しかし、現実のロシア史が伝えているように、自治都市ノヴゴロドはイワン三世——タタールを駆逐したあのイワン三世——の時代にモスクワによって壊滅的打撃を蒙り、世紀が変わり十六世紀、イワン四世(雷帝)の時代、モスクワとの熾烈な戦いの果てに、その自治は完全に息の根を止められる。これと時を同じくして、近隣の諸都市——トヴェーリ、プスコフらの都市もその自治的性格を失う。爾来、ロシアの諸都市は深い沈黙の内に沈むことになるのである。

自治都市が専制によって制圧されるのと並行して、農民の土地への緊縛が進行する。農民は、まずは新しい耕地を求めて自由に移動する期間を制限され、ついで、それが無期限的な禁止へと進み、そのことを通じて領主と農民の関係が固定化され、時代と共に領主に様々な特権が付与されることに比例して、農民の領主に対する従属の度合いも強化されて行く。そして遂には、農民は売買の対象とされることがあるほどになってしまい、「農奴制」とは、詰まるところ、「奴隷制」と何ら変わるところがなくなっていたのである。確かに、モスクワの専制権力によってロシアは「タタールの軛」から解放されはしたが、農民には「農奴制」という別の、より重い軛が付けられてしまったのである。

そこへ行き着くまでには、もちろん、農民の数知れぬ抵抗や騒擾がありはした。しかし、それらは多くの場合、「不満分子」が警察によって懐柔されたり、笞打たれたり、兵卒にされて村を追われたり、シベリアに送られたりして終わった。だが、農民の不平不満が嵩じて暴動あるいは反乱に及ぶことも一再ならずあった。しかし、そうした場合、彼らは常に軍事的に鎮圧され、抹殺されたのであった。

こうして、幾つも世紀を越えて、ゲルツェンの時代に至っていたのである。

ゲルツェンは書いている。

「ロシアは救われ、強く偉大な国になった。だが、その代償は何であったか。それは地球上で最も不幸にして、最も奴隷的な国である。モスクワはロシアを救いはしたが、ロシアの生活において自由であったものをすべて圧殺してしまったのである。」（五四ページ）

民衆にとってのこのような窮状がかくも長く続いてしまったのはどうしてなのか。ゲルツェンは書いている。

「ロシアが陥っていた隷属状態の最も大きな原因の一つは、個人の独立性の欠如にあると思われる。政府の側からする人間への尊重の念の完全なる欠如と、個々人の側からの反抗の欠如は、このことに由来するのであり、また、権力の横暴や民衆の忍耐強さも、また然りである。個人の権利に解放の酵母が浸透しない限り、ロシアの未来はヨーロッパにとっては大きな脅威を、ロシアそれ自身にとっては諸々の不幸を孕んでいる。今のようなデスポチズムがもう百年続くなら、ロシアの民衆が持つ善き資質は全て消えてしまうだろう。」(二〇〇―二〇一ページ)

この文章が書かれた一八五〇年から優に百年以上が過ぎた。その間にロシアは「ソヴィエト時代」を体験し、そして今また「プーチン体制」のもとにある。ゲルツェンのこの予見は当たったのか、外れたのか、それを言うことは難しい。

だが、この年から三年後にクリミア戦争が始まることを思えば、以下に引く文章によって、ゲルツェンはロシアの近未来を見事に言い当てていたとは言えるだろう。

「長きにわたる隷属状態は偶然的な事実ではない。それは、もちろん、国民的性格の何らかの特性に照応している。この特性が他の特性によって飲み込まれ、打ち負かされることもあるだろうが、しかし、こちらが勝ちを占めることもあるだろう。もし、ロシアが現存する秩序と和解していられるというのなら、ロシアにはわれわれが期待するような未来はない。もし、ロシアがこれからもペテルブルクの方向に従うか、あるいは、モスクワの伝統に立ち返るというなら、ロシアは半ば野蛮な、半ば堕落した烏合の衆としてヨーロッパに襲い掛かり、文明化した諸国を荒廃させ、全般的な破壊の中で滅びるほかないだろう。」(二〇七ページ)

果たせるかな、一八五三年十月にロシアは孤立無援の戦争に突入し、三年間にわたる絶望的な戦いの挙句、惨憺たる敗北を喫することになるのである。

だが、この敗北はロシアに新しい時代をもたらした。ニコライ一世の跡を継いだアレクサンドル二世の時代に、農奴解放を始めとした「大改革」の時代が始まるのである。このことに準《なぞら》えれば、ポスト・プーチンのロシアにも「新しい時代」がもたらされ、「大改革」の時代が始まるはずだが、今後、現実がどう展開するのか、それを占うことはさらに難しい。

ロシアにおける「革命思想」の形成と受難

ゲルツェンにとってロシアにおける「革命思想」の核心をなすもの、それは西欧近代の最大の遺産たる「自由」の理念と「人間の尊厳」の意識と「個人性」の原理であり、これらこそ近代文明の真の果実に他ならない。知識人たちの課題とは、文明のこの果実をロシアに扶植することにある。

そのことにドラスティックな形で端緒を与えたのはピョートル大帝であった。

彼の時代のロシアは「バルト海帝国」スウェーデンとの国の存亡を賭けた戦いに終始した(「北方戦争」一七〇〇―二一年)。そして、この闘いに勝利するために彼は西欧の様々な文物や制度を導入し、他方で、ペテルブルクへ遷都することによって古いモスクワの政治と決別し、これを支える正教会を官僚組織の一機関の管轄下に置くことによってその影響力を減殺した。ゲルツェンは教会との決別をピョートルの為したことの中でも最も重要な事績の一つに数えている。

過去との決別や新機軸の導入というピョートルの一連の「革命」的業績を通じてゲルツェンが最も強調するのは、こうしたことが彼の強烈な個性があって初めて可能であったということである。ゲルツェンがピョートルを「帝冠を戴いた革命家」と呼ぶのは、彼にロシア史上初めての「自立的な個性」を認めたからである。

だが、この時、彼の「革命性」はあくまでも彼の個性に止まった。彼の「自由奔放」な個性は、あくまで彼だけのものであって、彼の後継者たちにあっては、「自由」は「我儘」、「奔放」は「やりたい放題」と化し、万事が放縦、放埒、恣意に堕した。ピョートル以後の十八世紀を支配したのは、上下を問わず、中央・地方の別なく、行政における限りない乱脈と腐敗であり、非人間的所業の瀰漫《びまん》であった。そして、民衆はいよいよおのが共同体の奥深くに身を隠し、頭を下げてただひたすら邪なる政治の暴圧に耐えていた。

しかし、その間にも、近代文明の種子は徐々に実を結びつつあった。北海沿岸の寒村から身を起こした万能の碩学ミハイル・ロモノーソフは、その果実の顕著な事例の一つであった。

中流の貴族階級の若い知識人たちの間にも、ニコライ・ノヴィコーフやアレクサンドル・ラジシチェフ*（一七四九―一八〇二）のように、フランス仕込みの啓蒙思想に依拠して、帝政に批判的な意見を口にする者たちも出て来るようになった。

＊ ラジシチェフとその主著『ペテルブルクからモスクワへの旅』（一七九〇年）については、本書の中では一切触れられていない。その理由は定かではないが、それは一部の人たち（その中には旧訳者金子もいる）が言うように、彼がこの本のことを知らなかったからではなく、彼の遺族への配慮が働いていたからだろうと、筆者（長縄）は推測している。

そして、十九世紀。

一八一二年の「ナポレオン戦争」は、ロシアにおける革命思想の発達にとって大きな契機となった。「大陸封鎖令」に背くロシアを制裁すべく、ナポレオンが十六万にも及ぶ大軍を率いて侵攻に及んだ時、ロシアの国民は官も民も、心を一つにしてよく戦った。そして、ロシアは勝利した。この戦争が「祖国戦争」と呼ばれる所以である。

思想史的に見た時、この戦争の最大の意味は、若い貴族知識人たちが戦場において民衆と寝食と苦楽とを共にするという、稀有の体験をしたことにある。彼らは無知蒙昧な存在と思っていた民衆の中に、自分たちよりも強い愛国心と、より優れた道徳心があることに目を見張り、ロシアの勝利の立役者は民衆に他ならないことを知った。それは言うなれば、「民衆のロシア」と「革命のロシア」の出会いの場であった。ゲルツェンはこの年をもってロシア史が真に始まったと言っている。

だが、祖国に勝利をもたらした当の「民衆」には、戦後においていかなるものも与えられず、その窮状はむしろ旧に倍した。そのことに心ある青年たちは憤った。その憤りはエリート知識人の粋を集めた近衛連隊にとりわけ強かった。かくしてここに、帝政の改革はおろか、その転覆をすら目指す秘密結社が形成された。

この反帝政の機運は、皇帝アレクサンドル一世の時ならぬ崩御（一八二五年十一月十九日）（露暦、以下同じ。この日数に十二を加えると西暦が得られる）に伴う皇位継承の混乱に乗じて一気に高まり、同年十二月十四日、皇帝の即位に先立ち近衛連隊が行う、新帝への忠誠を誓う恒例の儀式において、秘密結社の影響下にある部隊がこれを拒否し、「憲法」の制定を求める声を上げたのであった。これが後に「デカブリストの反乱」と呼ばれる事件である。

「反乱」そのものは即座に鎮圧され、事件は「元老院広場」での出来事に終わったが、この事件の持つ意味は絶大であった。何と言っても、帝政を支えるべき近衛連隊の士官たちが、首都の中心的広場で反帝政の声を上げたのである。ゲルツェンはこれを「専制」と「文明」の衝突と呼んでいる。ピョートル大帝の蒔いた「文明」の種子は、ここまで成長していたのである。

だが、この事件に対する新帝ニコライの対応は果断にして苛烈であった。彼は首謀者五名を絞首刑に処し、百名を超える近衛の士官たちをシベリアに追放し、その後に厳格な警察体制を敷いた。そして、このような体制はニコライが没する一八五五年まで、三十年にわたり続くことになる。それはまさに「文明」にとって受難の時代、暗黒の時代であった。この間に、ゲルツェン自身、二度にわたり首都からの追放処分を体験している。

かくして、本書の第五章以降はニコライ治下における「文明」の受難への悲痛な告発の章となった。本書の目的とは、まさにこの受難の様を西欧に向けて告発することにもあったのである。その告発がいかなるものであったか、具体的には本書をお読みいただくとして、以下では訳者にとってとりわけ心に残る個所を二つ引用したい。これらを要約によって示しては命を失うだろう。

その一つは、ロシアの過去と現在を呪い、未来を全否定したピョートル・チャアダーエフの『哲学書簡』について書いた個所である。

「この論文は悲痛な叫びと驚愕をもって迎えられた。それは人をたじろがせた。それはチャアダーエフに共感を抱く人たちをさえ傷つけた。だが、それでもこの論文はただ、われわれ一人ひとりが心にぼんやりと抱いていた不安を言い表しただけのことだったのだ。人間の高潔な精神の高揚に、ただ苦痛のみをもって応えるこの国、ただ迫害に晒すためにのみ、われわれに目覚めを急がせるようなこの国、こんな国を満腔の怒りを込めて憎むような時を、われわれの一体誰が体験しなかっただろうか。地上の四分の一を占めているこの牢獄から、あらゆる警察の署長がツァーリで、ツァーリこそが帝位についた警察署長であるような、そんな醜怪な帝国から永久に逃げ出したいと、われわれの一体誰が願わなかっただろうか。こんな凍てついた氷のような地獄のことを忘れられるものなら忘れようと、ほんの短い間なりとも酔って気を紛らせようと、ありとあらゆる欲情に、われわれの一体誰が身を任せなかっただろうか。今やわれわれはあらゆることを別の目で見ようとしている。われわれはロシアの歴史を別の観点から見直そうとしている。しかし、われわれはこの絶望の時を拒否し、悔い改めねばならない理由を持たない。われわれはこれらを忘れるためには、あまりに高い代償を払ってきたのだから。それらはわれわれの権利であり、抗議であり、そして、それらこそがわれわれの救いだったのだ。」(一六七―一六八ページ)

もう一つはニコライ時代の「文明」の墓碑銘である。

ルィレーエフは、ニコライに縊られた。
プーシキンは、三十八歳にして決闘で殺された。
グリボエードフは、テヘランで謀られて殺された。
レールモントフは、三十歳にしてカフカースでの決闘で殺された。
ヴェネヴィーチノフは、二十五歳にして社交界によって殺された。
コリツォーフは、三十三歳にして家族によって殺された。
ベリンスキーは、三十五歳にして飢えと貧困によって殺された。
ポレジャーエフは、カフカースでの八年におよぶ強いられた兵士としての勤務の後、陸軍病院で死んだ。

バラトゥィンスキーは、十二年の流刑の後に死んだ。

ベストゥージェフは、シベリアでの強制労働の後、年若くしてカフカースで非業の死を遂げた……(二四〇―二四一ページ)

誠に、死屍累々と言った有様である。

ロシアにおける革命思想の可能性

こんな暗黒時代にあっても、ロシアには新しい思想が胎動しつつあった。そして、この胎動は後の時代によって「西欧主義」と「スラヴ主義」と命名されることになる、二つの思潮を産み出すことになる。

二つの思潮のことをごくごく大雑把に説明して置けば、「西欧主義」とは西欧の価値観を是とし、これをロシアに移植することを目指す立場であるのに対して、「スラヴ主義」とは西欧の価値観を非とし、ロシア古来の価値観に立ち返ることを目指す立場のこと、と要約することができよう。もちろん、「西欧の価値」や「ロシア古来の価値」の内実をどう理解するかによって、やがて二つの潮流の中にも違いが生まれてくることになるのだが、今、そのことについて詳細に論じている暇はないので、ここではただ、ゲルツェンが「西欧主義」に与する人であったことを確認して、話を先に進めよう。「西欧派」ゲルツェンが「スラヴ派」を批判する最大の論点は、彼らが「ロシア古来の価値」の中核にビザンツ由来のギリシア正教を認め、ピョートル大帝によって政府の一機関に貶められた正教会の地位を、今一度取り戻そうとしているということにあった。「ロシア正教」をロシア人のアイデンティティを担保する精神的絆と見なし、ここにロシア人の「精神性」あるいは「霊性」の根源を求めようという考え方は、今なお根強く存在する。訳者の見るところ、これは一面において正しい。ロシアは歴史上、幾多の「国難」に遭遇してきた。その一つが「タタールの軛」(十三世紀半ば〜十五世紀末)であり、その第二がポーランドを始めとする近隣諸国からの侵略であり(十七世紀初頭の「動乱期」)、そして、スウェーデンとの国運を賭けた戦争(十八世紀初頭の「北方戦争」)であり、本書の時代に即して言えば、「ナポレオン戦争」(十九世紀初頭)であった。それらの国難をロシアはすべて民衆(実質的には、農民)の奮闘によって乗り越えてきた。その時、彼らをして結束させたのは、「正教の民」という意識であり、「正教のロシア」を守るという使命感であった。かくして、「正教」こそロシア人の血と肉であり、「民族」の絆に他ならない、と見なされるに至っているのである。

スラヴ派が見ていたのは、ロシア正教のこのような顔であった。そして、彼らはピョートル大帝によって損なわれた、「正教」を紐帯とした信仰共同体としてのロシアの復活を希求していたのである。

だが、正教には別の顔もあった。それは時の政治権力との和合的性格である。正教会は政府と民衆との間にあって、常に権力に対して迎合的に振る舞い、政府に不平不満を抱く民衆には、専ら隠忍自重を説いた。この教会の第一の徳目が「スミレーニエ」(謙譲、従順)であったというのは、教会の世俗において果たした役割を余すところなく示している。平時においてロシアの農民が眠り込んだように大人しい存在であり続けたのも、まさに、この「正教効果」の為せるところであった。ゲルツェンが「正教」を批判するのは、それが果たすこのような機能であった。

「それ(正教会)はロシアを、……悲しい陰鬱なる時代へと導いてしまった。それは民の自由に悖るあらゆる措置を祝福し容認した。教会はツァーリにはビザンツ的デスポチズムを教え込み、民衆には、彼らが土地に縛り付けられ、奴隷制の軛の下に身を屈した時でさえも、盲目的な服従を命じた。」(一八九—一九〇ページ)

かくしてゲルツェンは正教の教義を「隷属の詭弁」、「奴隷の哲学」と呼ぶことになる。ゲルツェンが正教会に見るのはこのような顔であった。

だが、両派のこのような根本的な対立にもかかわらず、ゲルツェンはスラヴ派が自分たちと愛国的心情を共にしていることをよく知っていた。自伝的回想録『過去と思索』では、彼は両派を一つの心臓を共有しながら異なる方向を見る双頭の「ヤヌス神」に準えているのである(本書にはそうした記述はない)。

ゲルツェンが両者を結びつける愛国的心情の根底に見ていたのは、ロシアの民衆がもつ「共同性」という特質についての共通の認識であった。ゲルツェンはこのことに両者がロシアの未来に向かって手を携えて進む可能性を見出し、こう書いている。

「果たして、われわれは和解のための開かれた場を持っていないだろうか。ヨーロッパを二つの敵対陣営にかくも決定的に、そして深く分断している社会主義を、スラヴ派は果たしてわれわれと同じように承認していないだろうか。この橋の上で、われわれは互いに手を差し伸べ合うことが出来るのではないだろうか。」(二一六―二一七ページ)

ゲルツェンは「社会主義者」であった。だが、西欧の「社会主義」が「近代」を踏まえた上での「ポスト近代」の思想であったのに対して、ゲルツェンの「社会主義」は「近代」を現実のこととして体験しないロシアの「社会主義」であった。ゲルツェンの

「社会主義」論に「政治論」や「経済論」、そして、「革命の戦術・戦略論」が欠如するのはそのためだろう。

だが、その代わり、彼の思想には倫理感と正義感が横溢している。彼の「社会主義」思想を根底において生あらしめているのは、農奴制の下に置かれた民衆に象徴される、社会的弱者一般の苦悩への憤りなのである。その意味で、彼の「社会主義」は「社会正義」の思想だといってもよい。

そうであればこそ、彼は「社会主義」がまたしても法則性や必然性によって聖化され、再び人びとの上に君臨する新しい抑圧の原理となることを恐れる。未来の「社会主義」の運命についての、以下のような彼の言葉には、こうした思いが込められている。

「社会主義も発展すれば、そのあらゆる段階において愚かしいまでに極端な帰結に行き着くだろう。その時、革命的な少数者の巨人の如き胸の裡から再び否定の叫びが迸《ほとばし》り、再び決死の闘いが始まり、その闘いの中で社会主義は今の保守主義の位置を占め、未来の、われわれの知らない革命によって打ち負かされることだろう……。」(『向こう岸から』より)

「現存した社会主義」が崩壊した今日、この文章に予見的な洞察を読み取ることができるだろう。

だが、ゲルツェンの目から見た時、「現存した社会主義」を「打ち負かした」のは、果たして、「革命的な少数者の巨人の如き胸の裡から迸り出た否定の叫び」だっただろうか。そもそも、「社会主義」といえば「現存した社会主義」あるいは「現存する社会主義」のことだと言うのであれば、ゲルツェンの思想は別の名前で呼ばれなくてはならないだろう。だが、それがどう呼ばれるべきか、私は知らないのである。

訳者あとがき

本書の旧訳『ロシヤにおける革命思想の発達について』の解説として、訳者の金子幸彦は『ロシヤ文学研究』第一号(一九四七年・昭和二十二年)に掲載された自身の論文「ゲルツェン――思想家・作家」をそのまま転用し、改訳時(一九七四年)にも引き続きこれを用いている。金子にとってこの論文は、それほどまでに思い入れの強い論文だったのである。それと言うのも、長い戦争が終わって二年目、戦前・戦中を通して冷遇され、異端視されてきた「ロシヤ文学」を、「専門」に「研究」しようという若い学徒が集まり、意気も高らかに学会を発足させた、その機関誌の創刊号を飾ったのが、他ならぬこの論文だったのである。一読して明らかなように、この論文はゲルツェンの生涯と思想が、短いスペースにもかかわらず、過不足なく手際よくまとめられており、個々の著作の評価は、幾分古風の感は否めないとは言え、概ねスタンダードであり、今日読んでも教えられるところは少なくない。その意味で、わが国におけるゲルツェン研究はこの論文によって、幸運なスタートラインに立ったということができるのである。

ここで、この論文の初出年である「昭和二十二年」、つまり戦後二年目という年に、改めて注意を喚起したい。思えば、ゲルツェンの主著とも言うべき『過去と思索』のロシア語からの最初の翻訳(全八部のうち第三部まで)が、日本評論社の「世界古典文庫」の一冊としてわが国で初めて出たのも、この年の八月のことであった。つまり、戦前・戦中の暗い谷間の時代にあって、金子は密かにゲルツェンを読み、翻訳しつつ、時節の到来を待っていたのである。そして、その密かな営みの成果が、戦後に矢継ぎ早な仕事として、世に現れたのであった。金子の慧眼と揺ぎない姿勢に改めて敬意を表したいと思う。

ちなみに、ここで小さなエピソードを紹介しよう。それは中国の文化大革命のさなか、作家の巴金がゲルツェンの『過去と思索』を読み、訳しながら、嵐の行き過ぎるのを待っていたという話だ。ゲルツェンという人はこのような読まれ方をするのである。今日の忌まわしい状況の下で、ロシアの知識人に中にも、ゲルツェンに精神の慰謝を求め、彼の著作に読み耽る者たちも多くいるのではないだろうか。

だが、この「解説文」は、このように、わが国におけるゲルツェン研究の歴史の中でこそ意義深い論文ではあるが、これを『革命思想』プロパーの「解説」として読むとき、不満感は拭いがたい。その理由の一つは、この論文があまりに概括的に過ぎ、『革命思想』についてはほんの一行程度言及されているだけだということにある。

しかし、実は、それ以上に大きな理由がある。それはこの論文の枠組みそのものにかかわることである。すなわち、この論文では、レーニンによる「古典的」なゲルツェン論が踏襲され、ゲルツェンの思想がロシアの専制体制と西欧のブルジョア社会とを共々に批判し、社会主義を目指したという点でマルクス主義と方向性を共にしながらも、様々な歴史的制約のために、マルクス主義の核心とも言うべき「史的唯物論」にまでは行き着けず、その一歩手間で立ち止まってしまった思想として描かれているのである。これは別の言い方をすれば、ゲルツェンの思想が「十月革命」と方向性を共にしながら、そこまで行き着けなかった「貴族の革命性」の時代の所産と位置付けられているということでもある。そして、ソヴィエト政権の下でゲルツェンが「ロシア革命の先駆者」として、体制の恩顧に長く浴してきた理由は、まさにこのような位置づけのされ方にあったのである。そうした文脈の中で本書『革命思想』を読めば、これはあたかも「ボリシェヴィキの革命」としての「ロシア革命」の、思想的前史であるかのような性格を持たされてしまうだろう。だが、ゲルツェンの思想はそうした革命とは、いささかなりともつながってはいないのである。

その理由を以下に述べよう。

本書の中でゲルツェンはモスクワの自分たち「サン・シモン主義」の信奉者と、自分たちより年少のペテルブルクのペトラシェフスキー・グループのような「フーリエ主義」の信奉者とを比べ、後者の実践性・活動性を高く評価しつつ、「ペテルブルクの社会主義と自分たちの社会主義は違ったものになるだろう」と予測(予感)し、ロシアの革命運動は今後、ペテルブルクが主導権を握ることになるだろうと書いているのだが(二二四―二二五ページ)、確かに、六〇年代以降の運動の歴史は、ゲルツェンが書いたように、ペトラシェフスキーの衣鉢を継ぐチェルヌィシェフスキーからナロードニキ、それも「人民の意志党」へ、そして、そのブランキズム的戦術がボリシェヴィキに受け継がれて「十月革命」に行き着くという、一貫してペテルブルク主導の道を辿ったのであった。そして、ゲルツェンはそのような予測(予感)の延長上で、次のように書いているのである。

「どうやら、政府と公然と戦おうという反対派は、政府の性格に通じる性格を持つものらしい。もちろん、反対の意味においてだが。私は、政府が共産主義に対して持ち始めている恐怖には、一定の根拠があると確信している。共産主義とは裏返しにされたロシアの専制なのだ。」(二二六ページ、強調引用者)そして、さらに、ゲルツェンは別の行論者)。

い、、、、、、、、、、、、、の中で、このような革命運動の行く末を危惧して、それが「共産主義的制度に囲まれたロシア皇帝」にならないようにと、切に願ってもいるのである(二三一ページ、強調引用

こうした断片を読むだけでも、ゲルツェンという人が「ソヴィエト体制」といかに遠いところにいたかが分かるだろう。

本書が新しい解説と共に、新しい角度から読み返されなくてはならないと考える所以である。

本書を上梓するに当たり、岩波文庫編集部の小田野耕明氏の一方ならぬご尽力に与った。特に記して深い謝意を呈する。

本書が広く読まれことを願ってやまない。

二〇二四年一月

横浜・大倉山にて　長縄光男

《ロシア文学》〔赤〕

オネーギン　プーシキン　池田健太郎訳
スペードの女王・ベールキン物語　プーシキン　神西清訳
狂人日記 他二篇　ゴーゴリ　横田瑞穂訳
外套・鼻　ゴーゴリ　平井肇訳
日本渡航記 ―フレガート「パルラダ」号より　ゴンチャロフ　井上満訳
貧しき人々　ドストイェフスキイ　原久一郎訳
二重人格　ドストエフスキー　小沼文彦訳
罪と罰 全三冊　ドストエフスキー　江川卓訳
白痴 全二冊　ドストエーフスキイ　米川正夫訳
カラマーゾフの兄弟 全四冊　ドストエーフスキイ　米川正夫訳
幼年時代　トルストイ　藤沼貴訳
戦争と平和 全六冊　トルストイ　藤沼貴訳
トルストイ民話集 人はなんで生きるか 他四篇　中村白葉訳
トルストイ民話集 イワンのばか 他八篇　中村白葉訳
イワン・イリッチの死　トルストイ　米川正夫訳
復活 全二冊　トルストイ　藤沼貴訳

人生論　トルストイ　中村融訳
かもめ　チェーホフ　浦雅春訳
ワーニャおじさん　チェーホフ　小野理子訳
桜の園　チェーホフ　小野理子訳
チェーホフ 妻への手紙 全二冊　湯浅芳子訳
ゴーリキー短篇集　上田進・横田瑞穂訳編
どん底　ゴーリキイ　中村白葉訳
ソルジェニーツィン短篇集　木村浩編訳
アファナーシエフ ロシア民話集 全二冊　中村喜和編訳
われら　ザミャーチン　川端香男里訳
プラトーノフ作品集　原卓也訳
悪魔物語・運命の卵　ブルガーコフ　水野忠夫訳
巨匠とマルガリータ 全二冊　ブルガーコフ　水野忠夫訳

空想より科学へ ―社会主義の発展　エンゲルス　大内兵衛訳
帝国主義論 全二冊　ホブスン　矢内原忠雄訳
帝国主義　レーニン　宇高基輔訳
国家と革命　レーニン　宇高基輔訳
ローザ・ルクセンブルク 獄中からの手紙　秋元寿恵夫訳
雇用、利子および貨幣の一般理論 全二冊　ケインズ　間宮陽介訳
シュムペーター 経済発展の理論 全二冊　塩野谷祐一・中山伊知郎・東畑精一訳
シュムペーター 経済学史 ―学説ならびに方法の諸段階　中山伊知郎・東畑精一訳
租税国家の危機　シュムペーター　木村元一・小谷義次訳
日本資本主義分析　山田盛太郎
恐慌論　宇野弘蔵
経済原論　宇野弘蔵
資本主義と市民社会 他十四篇　大塚久雄　齋藤英里編
共同体の基礎理論 他六篇　大塚久雄　小野塚知二編
ユートピアだより　ウィリアム・モリス　川端康雄訳
社会科学と社会政策にかかわる認識の「客観性」　マックス・ヴェーバー　富永祐治・立野保男訳　折原浩補訳
プロテスタンティズムの倫理と資本主義の精神　マックス・ヴェーバー　大塚久雄訳

職業としての学問　マックス・ウェーバー　尾高邦雄訳
社会学の根本概念　マックス・ヴェーバー　清水幾太郎訳
職業としての政治　マックス・ヴェーバー　脇圭平訳
古代ユダヤ教 全三冊　マックス・ヴェーバー　内田芳明訳
宗教と資本主義の興隆 ―歴史的研究 全二冊　トーニー　出口勇蔵・越智武臣訳
世論 全二冊　リップマン　掛川トミ子訳
鯰絵 ―民俗的想像力の世界　C・アウエハント　小松和彦・中沢新一・飯島吉晴・古家信平訳
贈与論 他二篇　マルセル・モース　森山工訳
国民論 他二篇　マルセル・モース　森山工編訳
ヨーロッパの昔話 その形と本質　マックス・リュティ　小澤俊夫訳
独裁と民主政治の社会的起源 ―近代世界形成過程における領主と農民 全二冊　バリントン・ムーア　宮崎隆次・森山茂徳・高橋直樹訳
大衆の反逆　オルテガ・イ・ガセット　佐々木孝訳

《自然科学》〔青〕

ヒポクラテス医学論集　國方栄二編訳
科学と仮説　ポアンカレ　河野伊三郎訳
ロウソクの科学　ファラデー　竹内敬人訳
種の起原 全二冊　ダーウィン　八杉龍一訳
自然発生説の検討　パストゥール　山口清三郎訳
完訳 ファーブル昆虫記 全十冊　山田吉彦・林達夫訳
科学談義　T・H・ハックスリ　小泉丹訳
メンデル 雑種植物の研究　岩槻邦男・須原準平訳
アインシュタイン 相対性理論　内山龍雄訳・解説
相対論の意味　アインシュタイン　矢野健太郎訳
アインシュタイン 一般相対性理論　小玉英雄編訳・解説
自然美と其驚異　ジョン・ラバック　板倉勝忠訳
ダーウィニズム論集　八杉龍一編訳
ニールス・ボーア論文集1 因果性と相補性　山本義隆編訳
ニールス・ボーア論文集2 量子力学の誕生　山本義隆編訳
ハッブル 銀河の世界　戎崎俊一訳
パロマーの巨人望遠鏡 全二冊　D・O・ウッドベリー　関正雄・湯澤博・成相恭二訳
生物から見た世界　ユクスキュル　クリサート　日高敏隆・羽田節子訳
ゲーデル 不完全性定理　林晋・八杉満利子訳
日本の酒　坂口謹一郎
生命とは何か ―物理的にみた生細胞　シュレーディンガー　岡小天・鎮目恭夫訳

《法律・政治》〔白〕

- 人権宣言集 — 高木八尺・末延三次・宮沢俊義 編
- 新版 世界憲法集 第二版 — 高橋和之 編
- 君主論 — マキアヴェッリ 河島英昭 訳
- フィレンツェ史 全二冊 — マキァヴェッリ 齊藤寛海 訳
- リヴァイアサン 全四冊 — ホッブズ 水田洋 訳
- 法の精神 全三冊 — モンテスキュー 野田良之・稲本洋之助・上原行雄・田中治男・三辺博之・横田地弘 訳
- 教育に関する考察 — ロック 服部知文 訳
- 完訳 統治二論 — ジョン・ロック 加藤節 訳
- 寛容についての手紙 — ジョン・ロック 加藤節・李静和 訳
- キリスト教の合理性 — ジョン・ロック 加藤節 訳
- ルソー 社会契約論 — 桑原武夫・前川貞次郎 訳
- アメリカのデモクラシー 全四冊 — トクヴィル 松本礼二 訳
- リンカーン演説集 — 高木八尺・斎藤光 訳
- 権利のための闘争 — イェーリング 村上淳一 訳
- 近代人の自由と古代人の自由・征服の精神と簒奪 他一篇 — コンスタン 堤林剣・堤林恵 訳
- 民主主義の本質と価値 他一篇 — ハンス・ケルゼン 長尾龍一・植田俊太郎 訳
- 外交談判法 — カリエール 坂野正高 訳
- 危機の二十年 —理想と現実 — E・H・カー 原彬久 訳
- ザ・フェデラリスト — A・ハミルトン J・ジェイ J・マディソン 斎藤眞・中野勝郎 訳
- アメリカの黒人演説集 —キング・マルコムX・モリスン他 — 荒このみ 編訳
- モーゲンソー 国際政治 全三冊 —権力と平和 — 原彬久 監訳
- ポリアーキー — ロバート・A・ダール 高畠通敏・前田脩 訳
- 現代議会主義の精神史的状況 他一篇 — カール・シュミット 樋口陽一 訳
- 政治的なものの概念 — カール・シュミット 権左武志 訳
- 第二次世界大戦外交史 全二冊 — 芦田均
- 憲法講話 — 美濃部達吉
- 日本国憲法 — 長谷部恭男 解説
- 民主体制の崩壊 —危機・崩壊・再均衡 — ファン・リンス 横田正顕 訳
- 憲法 — 鵜飼信成

《経済・社会》〔白〕

- 政治算術 — ペティ 大内兵衛・松川七郎 訳
- 国富論 全四冊 — アダム・スミス 水田洋 監訳 杉山忠平 訳
- 法学講義 — アダム・スミス 水田洋 訳
- コモン・センス 他三篇 — トーマス・ペイン 小松春雄 訳
- 経済学における諸定義 — マルサス 玉野井芳郎 訳
- オウエン自叙伝 — ロバアト・オウエン 五島茂 訳
- 戦争論 全三冊 — クラウゼヴィッツ 篠田英雄 訳
- 自由論 — J・S・ミル 塩尻公明・木村健康 訳
- 大学教育について — J・S・ミル 竹内一誠 訳
- 功利主義 — J・S・ミル 関口正司 訳
- イギリス国制論 全二冊 — バジョット 遠山隆淑 訳
- ユダヤ人問題によせて ヘーゲル法哲学批判序説 — マルクス 城塚登 訳
- 経済学・哲学草稿 — マルクス 城塚登・田中吉六 訳
- 新編輯版 ドイツ・イデオロギー — マルクス エンゲルス 廣松渉 編訳 小林昌人 補訳
- マルクス エンゲルス 共産党宣言 — 大内兵衛・向坂逸郎 訳
- 賃労働と資本 — マルクス 長谷部文雄 訳
- 賃銀・価格および利潤 — マルクス 長谷部文雄 訳
- マルクス 経済学批判 — 武田隆夫・遠藤湘吉・大内力・加藤俊彦 訳
- マルクス 資本論 全九冊 — エンゲルス 編 向坂逸郎 訳
- トロツキー わが生涯 全二冊 — 森田成也・志田昇 訳

論理哲学論考　ウィトゲンシュタイン　野矢茂樹訳
自由と社会的抑圧　シモーヌ・ヴェイユ　冨原眞弓訳
根をもつこと　全二冊　シモーヌ・ヴェイユ　冨原眞弓訳
重力と恩寵　シモーヌ・ヴェイユ　冨原眞弓訳
全体性と無限　全二冊　レヴィナス　熊野純彦訳
啓蒙の弁証法　—哲学的断想　M・ホルクハイマー　T・W・アドルノ　徳永恂訳
ヘーゲルからニーチェへ　十九世紀思想における革命的断絶　全二冊　レーヴィット　三島憲一訳
統辞構造論　付『言語理論の論理構造』序論　チョムスキー　福井直樹　辻子美保子訳
統辞理論の諸相　方法論序説　チョムスキー　辻子美保子　福井直樹訳
快楽について　ロレンツォ・ヴァッラ　近藤恒一訳
古代懐疑主義入門　判断保留の十の方式　J・アナス　J・バーンズ　金山弥平訳
ニーチェ　みずからの時代と闘う者　ルドルフ・シュタイナー　高橋巖訳
フランス革命期の公教育論　コンドルセ他　阪上孝編訳
フレーベル自伝　長田新訳
旧約聖書　創世記　関根正雄訳
旧約聖書　出エジプト記　関根正雄訳
旧約聖書　ヨブ記　関根正雄訳

旧約聖書　詩篇　関根正雄訳
新約聖書　福音書　塚本虎二訳
文語訳　新約聖書　詩篇付
文語訳　旧約聖書　全四冊
キリストにならいて　トマス・ア・ケンピス　大沢章　呉茂一訳
聖アウグスティヌス　告白　全二冊　服部英次郎訳
アウグスティヌス　神の国　全五冊　服部英次郎　藤本雄三訳
新訳　キリスト者の自由・聖書への序言　マルティン・ルター　石原謙訳
キリスト教と世界宗教　シュヴァイツェル　鈴木俊郎訳
水と原生林のはざまで　シュヴァイツェル　野村実訳
コーラン　全三冊　井筒俊彦訳
エックハルト説教集　田島照久編訳
ムハンマドのことば　ハディース　小杉泰編訳
新約聖書外典　ナグ・ハマディ文書抄　荒井献　大貫隆　小林稔　筒井賢治　編訳
後期資本主義における正統化の問題　ハーバーマス　山田正行・金慧訳
シンボルの哲学　—理性、祭礼、芸術のシンボル試論　S・K・ランガー　塚本明子訳

ジャック・ラカン　精神分析の四基本概念　全二冊　ジャック＝アラン・ミレール編　小出浩之　新宮一成　鈴木國文　小川豊昭　訳
精神と自然　生きた世界の認識論　グレゴリー・ベイトソン　佐藤良明訳
人間の知的能力に関する試論　全二冊　トマス・リード　戸田剛文訳
開かれた社会とその敵　全四冊　カール・ポパー　小河原誠訳

プロレゴメナ　カント　篠田英雄訳
学者の使命・学者の本質　フィヒテ　宮崎洋三訳
シュライエルマッハー 独白　木場深定訳
ヘーゲル 政治論文集 全二冊　金子武蔵訳
哲学史序論 —哲学と哲学史　ヘーゲル　武市健人訳
歴史哲学講義 全二冊　ヘーゲル　長谷川宏訳
法の哲学 —自然法と国家学の要綱　ヘーゲル　上妻精・佐藤康邦・山田忠彰訳
学問論　シェリング　西川富雄・藤田正勝監訳
自殺について 他四篇　ショウペンハウエル　斎藤信治訳
読書について 他二篇　ショウペンハウエル　斎藤忍随訳
知性について 他四篇　ショーペンハウエル　細谷貞雄訳
不安の概念　キェルケゴール　斎藤信治訳
死に至る病　キェルケゴール　斎藤信治訳
体験と創作 全二冊　ディルタイ　柴田治三郎・小牧健夫訳
眠られぬ夜のために 全二冊　ヒルティ　草間平作・大和邦太郎訳
幸福論 全三冊　ヒルティ　草間平作・大和邦太郎訳
悲劇の誕生　ニーチェ　秋山英夫訳

ツァラトゥストラはこう言った 全二冊　ニーチェ　氷上英廣訳
道徳の系譜　ニーチェ　木場深定訳
善悪の彼岸　ニーチェ　木場深定訳
この人を見よ　ニーチェ　手塚富雄訳
プラグマティズム　W・ジェイムズ　桝田啓三郎訳
宗教的経験の諸相 全二冊　W・ジェイムズ　桝田啓三郎訳
日常生活の精神病理　フロイト　高田珠樹訳
純粋現象学及現象学的哲学考案 全二冊　フッセル　池上鎌三訳
デカルト的省察　フッサール　浜渦辰二訳
愛の断想・日々の断想　ジンメル　清水幾太郎訳
ジンメル宗教論集　深澤英隆編訳
笑い　ベルクソン　林達夫訳
道徳と宗教の二源泉　ベルクソン　平山高次訳
時間と自由　ベルクソン　中村文郎訳
ラッセル教育論　安藤貞雄訳
ラッセル幸福論　安藤貞雄訳
存在と時間 全四冊　ハイデガー　熊野純彦訳

学校と社会　デューイ　宮原誠一訳
民主主義と教育 全二冊　デューイ　松野安男訳
我と汝・対話　マルティン・ブーバー　植田重雄訳
アラン 幸福論　神谷幹夫訳
アラン 定義集　神谷幹夫訳
天才の心理学　E・クレッチュマー　内村祐之訳
英語発達小史　H・ブラッドリ　寺澤芳雄訳
日本の弓術　オイゲン・ヘリゲル述　柴田治三郎訳
ことばのロマンス —英語の語源　ウィークリー　寺澤芳雄・出淵博訳
ヴィーコ 学問の方法　上村忠男・佐々木力訳
国家と神話 全二冊　カッシーラー　熊野純彦訳
天才・悪　ブレンターノ　篠田英雄訳
人間の頭脳活動の本質 他一篇　ディーツゲン　小松摂郎訳
プラトン入門　R・S・ブラック　内山勝利訳
反啓蒙思想 他二篇　バーリン　松本礼二編
マキアヴェッリの独創性 他三篇　バーリン　川出良枝編
ロシア・インテリゲンツィヤの誕生 他五篇　バーリン　桑野隆編

《哲学・教育・宗教》〔青〕

- ソクラテスの弁明・クリトン　プラトン　久保勉訳
- ゴルギアス　プラトン　加来彰俊訳
- 饗宴　プラトン　久保勉訳
- テアイテトス　プラトン　田中美知太郎訳
- パイドロス　プラトン　藤沢令夫訳
- メノン　プラトン　藤沢令夫訳
- 国家　全二冊　プラトン　藤沢令夫訳
- プロタゴラス ―ソフィストたち　プラトン　藤沢令夫訳
- パイドン ―魂の不死について　プラトン　岩田靖夫訳
- アナバシス ―敵中横断六〇〇〇キロ　クセノポン　松平千秋訳
- アリストテレス　ニコマコス倫理学　全二冊　高田三郎訳
- アリストテレス　形而上学　全二冊　出隆訳
- アリストテレス　弁論術　戸塚七郎訳
- アリストテレース　詩学　ホラーティウス　詩論　松本仁助・岡道男訳
- 物の本質について　ルクレーティウス　樋口勝彦訳
- エピクロス ―教説と手紙　出隆・岩崎允胤訳

- 生の短さについて　他二篇　セネカ　大西英文訳
- 怒りについて　他二篇　セネカ　兼利琢也訳
- エピクテトス　人生談義　全二冊　國方栄二訳
- 人さまざま　テオプラストス　森進一訳
- マルクス・アウレーリウス　自省録　神谷美恵子訳
- 老年について　キケロー　中務哲郎訳
- 弁論家について　全二冊　キケロー　大西英文訳
- キケロー書簡集　高橋宏幸編
- 平和の訴え　エラスムス　箕輪三郎訳
- 方法序説　デカルト　谷川多佳子訳
- 哲学原理　デカルト　桂寿一訳
- 情念論　デカルト　谷川多佳子訳
- パンセ　全三冊　パスカル　塩川徹也訳
- スピノザ　神学・政治論　全二冊　畠中尚志訳
- 知性改善論　スピノザ　畠中尚志訳
- スピノザ　エチカ（倫理学）　全二冊　畠中尚志訳
- スピノザ　国家論　畠中尚志訳

- スピノザ往復書簡集　畠中尚志訳
- デカルトの哲学原理 ―附 形而上学的思想　スピノザ　畠中尚志訳
- スピノザ　神・人間及び人間の幸福に関する短論文　畠中尚志訳
- モナドロジー　他二篇　ライプニッツ　谷川多佳子・岡部英男訳
- 市民の国について　全二冊　ヒューム　小松茂夫訳
- 自然宗教をめぐる対話　ヒューム　犬塚元訳
- エミール　全三冊　ルソー　今野一雄訳
- 人間不平等起原論　ルソー　本田喜代治・平岡昇訳
- ルソー　社会契約論　桑原武夫・前川貞次郎訳
- 言語起源論 ―旋律と音楽的模倣について　ルソー　増田真訳
- ディドロ　絵画について　佐々木健一訳
- 道徳形而上学原論　カント　篠田英雄訳
- 啓蒙とは何か　他四篇　カント　篠田英雄訳
- 純粋理性批判　全三冊　カント　篠田英雄訳
- カント　実践理性批判　波多野精一・宮本和吉・篠田英雄訳
- 判断力批判　全二冊　カント　篠田英雄訳
- 永遠平和のために　カント　宇都宮芳明訳

読書子に寄す

——岩波文庫発刊に際して——

岩波茂雄

真理は万人によって求められることを自ら欲し、芸術は万人によって愛されることを自ら望む。かつては民を愚昧ならしめるために学芸が最も狭き堂宇に閉鎖されたことがあった。今や知識と美とを特権階級の独占より奪い返すことはつねに進取的なる民衆の切実なる要求である。岩波文庫はこの要求に応じそれに励まされて生まれた。それは生命ある不朽の書を少数者の書斎と研究室とより解放して街頭にくまなく立たしめ民衆に伍せしめるであろう。近時大量生産予約出版の流行を見る。その広告宣伝の狂態はしばらくおくも、後代にのこすと誇称する全集がその編集に万全の用意をなしたるか。千古の典籍の翻訳企図に敬虔の態度を欠かざりしか。さらに分売を許さず読者を繋縛して数十冊を強うるがごとき、はたしてその揚言する学芸解放のゆえんなりや。吾人は天下の名士の声に和してこれを推挙するに躊躇するものである。このときにあたって、岩波書店は自己の責務のいよいよ重大なるを思い、従来の方針の徹底を期するため、すでに十数年以前より志して来た計画を慎重審議この際断然実行することにした。吾人は範をかのレクラム文庫にとり、古今東西にわたって文芸・哲学・社会科学・自然科学等種類のいかんを問わず、いやしくも万人の必読すべき真に古典的価値ある書をきわめて簡易なる形式において逐次刊行し、あらゆる人間に須要なる生活向上の資料、生活批判の原理を提供せんと欲する。この文庫は予約出版の方法を排したるがゆえに、読者は自己の欲する時に自己の欲する書物を各個に自由に選択することができる。携帯に便にして価格の低きを最主とするがゆえに、外観を顧みざるも内容に至っては厳選最も力を尽くし、従来の岩波出版物の特色をますます発揮せしめようとする。この計画たるや世間の一時の投機的なるものと異なり、永遠の事業として吾人は微力を傾倒し、あらゆる犠牲を忍んで今後永久に継続発展せしめ、もって文庫の使命を遺憾なく果たさしめることを期する。芸術を愛し知識を求むる士の自ら進んでこの挙に参加し、希望と忠言とを寄せられることは吾人の熱望するところである。その性質上経済的には最も困難多きこの事業にあえて当たらんとする吾人の志を諒として、その達成のため世の読書子とのうるわしき共同を期待する。

昭和二年七月

ロシアの革命思想《かくめいしそう》──その歴史的展開《れきしてきてんかい》　ゲルツェン著

2024年3月15日　第1刷発行

訳　者　長縄光男《ながなわみつお》

発行者　坂本政謙

発行所　株式会社　岩波書店
〒101-8002 東京都千代田区一ツ橋2-5-5

案内 03-5210-4000　営業部 03-5210-4111
文庫編集部 03-5210-4051
https://www.iwanami.co.jp/

印刷・三秀舎　カバー・精興社　製本・中永製本

ISBN 978-4-00-386038-0　　Printed in Japan

人名索引

エリザヴェータ・ペトローヴナ(1709-1761)

ロシアの女帝(1741-). ピョートル大帝の娘. 宮中のクーデターにより即位した. *82, 83, 88, 177*

エルマーク, チモフェーヴィチ(1532~42-1585)

コサックの頭目. シベリアを征服して, これをイワン4世に献上した. *99*

オーウェン, ロバート(1771-1858)

イギリスの初期社会主義者. ニュー・ラナーク(スコットランド)の紡績工場や「ニュー・ハーモニー」(アメリカ)などの実験的な社会主義組織を設立したが, どれも失敗に終わった. ゲルツェンは晩年のオーウェンと親交を結んだ. ゲルツェンは彼に論文「ロバート・オーウェン」を捧げて, その先駆的業績を讃えている(『過去と思索』第6部第51章). *124*

オステルマン, アンドレイ(1686-1747)

ヴェストファーレン出身の政府の高官. *85*

オドーエフスキー, アレクサンドル(1802-1839)

公爵. デカブリスト詩人. 徒刑囚としてシベリアに送られた. 1837年以降はカフカースで兵役につき, そこで没した. *117, 171*

オボレーンスキー, エウゲーニー(1796-1865)

公爵. デカブリスト. 12月14日の蜂起に参加し, 終身の徒刑を課せられたが, 1839年に流刑に切り替わり, イルクーツク, トボリスクに住んだ. 61年の農奴改革には草案作りに参画. 著書『回想』がある. *117*

オルローフ, アレクセイ(1737-1807)

伯爵. 1762年の宮中クーデターに参画. ピョートル3世を殺害し, エカテリーナ2世の即位を助けた. *88*

オルローフ, ミハイル(1788-1842)

伯爵. デカブリストの一員であったが蜂起には不参加. 事件後,

退役し一時自領に蟄居していたが，1831 年以降はモスクワに住み，プーシキン，チャアダーエフらと交わった．　*117*

カヴェーリン，コンスタンチン(1818-1885)

西欧派の法制史家．ゲルツェンの年少の友．　*66, 217*

カラムジーン，ニコライ(1766-1826)

歴史家．『ロシア国史』全 12 巻(1816-29)の著者．ロシア・センチメンタリズムの作家として『哀れなリーザ』『ロシア人旅行者の手紙』などの作品がある．　*106-108, 116, 155*

カール(5 世)(1500-1558)

「神聖ローマ帝国」皇帝(在位 1519-56)．スペイン王としてはカルロス 1 世(1516-56)．　*56, 67*

キセリョーフ，パーヴェル(1788-1872)

伯爵．1837 年から 56 年まで国有財産管理相として一連の農民支配の改革を施行した．　*142, 148, 183, 221*

キュスティーヌ，アストルフ＝ルイ＝レオノール(1790-1857)

フランスの侯爵．ニコライ 1 世に招かれてロシアを旅行し，その見聞記『1839 年のロシア』(全 4 巻，1843)を著わした．その中でロシアを「カタログの帝国」と酷評し，その後進性を暴いた．　*109, 144, 151, 183, 245*

キュリロス(827-869)**とメトディオス**(?-885)

兄弟．ギリシア正教の宣教師．9 世紀にスラヴ世界の伝道に従事．スラヴ語のアルファベットを考案し，奉事用の経典をギリシア語から翻訳した．　*95*

クーリエ，ポール・ルイ(1772-1825)

フランスの自由主義者．古典学者．　*124*

グリゴーリエフ，ニコライ(1822-1886)

近衛士官でペトラシェフスキー団の一員．　*227*

ゴドゥノーフ，ボリス(1552 頃-1605)

　ロシアのツァーリ(1598-)．ツァーリ，フョードルの妻の兄として宮中に権勢を振るい，帝位を簒奪．動乱時代のきっかけを作った．　*57, 58, 63-65*

コラール，ヤン(1793-1852)

　チェコの詩人．民族独立運動の指導者．　*204*

コリツォーフ，アレクセイ(1809-1842)

　農民詩人．家畜商の息子であったが，スタンケーヴィチによって詩才を認められ，詩人として世に出た．　*140, 170, 174-176, 193, 271*

コンスタンチノス(5 世)コプロニュモス(719-775)

　東ローマ帝国皇帝(741-)．　*73*

コンスタンチノス(11 世)パレオロゴス(1403-1453)

　ビザンツ帝国最後の皇帝．対オスマン帝国戦で戦死．　*67*

サマーリン，ユーリー(1819-1876)

　スラヴ派の歴史家，評論家．　*215, 217*

サン・シモン，クロード・アンリ(1760-1825)

　フランスの初期社会主義者．「産業社会」の到来とその中で働く庶民の窮状を予見し，その問題を解決する方策を模索した．「肉の復権」など新しい道徳の教説はゲルツェンらに影響を与えた．　*124, 160, 204, 223, 225*

シャファーリク，パヴォル・ヨゼフ(1795-1861)

　1830-40 年代のスロヴァキアとチェコの独立運動の指導者．歴史家，言語学者．　*204*

シューイスキー，ワシーリー(1552-1612)

　公．動乱時代のロシアの指導的ボヤール(大貴族)の 1 人．始めボリス・ゴドゥノーフの反対派として偽ドミートリー(1 世)を支持したが，彼が失脚した後自らツァーリとなり，ワシーリー 4 世(在位 1606-10)と称した．1610 年のモスクワ暴動で失脚．ポーラ

ンドの虜囚としてその生涯を終えた.　*60*

ジュコーフスキー，ワシーリー(1783-1852)

ロシア・ロマン主義を代表する詩人.　*107*

スヴォーロフ，アレクサンドル(1730-1800)

軍司令官. 露土戦争(1768-74, 1787-91)で数々の軍功を挙げたが，プガチョフの乱(1774)やポーランド蜂起(1794)では過酷な弾圧者であった.　*32, 37, 102*

スヴャトスラフ(1世)，イーゴリエヴィチ(?-972)

キエフ大公. 強力な軍事力をもってキエフ公国の版図を広げた.　*47*

スタンケーヴィチ，ニコライ(1813-1840)

1830年代のドイツ哲学，とりわけシェリング哲学を学ぶグループの指導者として，同時代の青年たちに大きな影響力を持った. 彼の周辺にはバクーニン，ベリンスキー，コンスタンチン・アクサーコフら，40年代の思想界を指導することになる俊秀が集まった. ヘーゲル哲学の紹介にも先鞭をつけたが，若くして世を去った.　*193, 194*

スペーシネフ，ニコライ(1821-1882)

ペトラシェフスキー団の中でも最も過激な分子. 1849年から徒刑囚として10年をシベリアで過ごす. ドストエフスキーは『悪霊』(1871-72)の中でスタヴローギンに彼の風貌を与えている.　*227*

スペランスキー，ミハイル(1772-1839)

神学大学出の政治家. その行政的手腕によりアレクサンドル1世とニコライ1世に仕えた. 『ロシア帝国国家基本法典』(1832)を編んだ.　*116*

センコーフスキー，オーシプ(1800-1858)

ジャーナリスト. 《読書館》の編集者. 歴史学者，オリエント学者でもあった.　*161-164, 191*

ソログープ，ウラジーミル(1814-1882)
伯爵．作家．風刺小説『タランタス』(1845)がある．　***117***
チェルヌィショーフ，ザハール(1796-1862)
伯爵．デカブリスト．　***133***
チャアダーエフ，ピョートル(1794-1856)
アレクサンドル1世の寵臣であったが，退役後ヨーロッパを遍歴．この地で「カトリックの復権」に共感し，帰国後『哲学書簡』(1836)を書き，正教ロシアを世界の孤児として批判．「狂人」の宣告を受けたが，思想界への強い影響力は晩年まで保持し続けていた．ゲルツェンとは深い親交を結んだ．　***165-168, 181, 270***
ツルゲーネフ，イワン(1818-1883)
作家．ゲルツェンの親友．『猟人日記』(1847-52)，『父と子』(1862)など多数の作品がある．　***178, 249***
ディドロ，ドゥニ(1713-1784)
フランスの百科全書派の哲学者．エカテリーナ2世に招かれてロシアを訪問したこともある．　***91***
デルジャーヴィン，ガブリーラ(1743-1816)
エカテリーナ2世のお気に入りの詩人．彼女に捧げる頌詩を書いた．　***102, 111, 155***
ドストエフスキー，フョードル(1821-1881)
トルストイと並ぶロシアの文豪．本書の中では初期の作品『貧しき人々』(1846)の作者，ペトラシェフスキー団の一員としてのみ言及されている．(本書が書かれた頃，ドストエフスキーはまだシベリアで服役中であった)　***224, 227***
ドミートリエフ，イワン(1760-1837)
18世紀末のロシア・センチメンタリズムを代表する詩人．元老院議員や司法大臣などを歴任した行政官でもあった．　***107, 155, 156***

ドルゴルーキー，アレクセイ(?-1734)
ピョートル2世の養育係．幼い皇帝を補佐して皇位継承法を定めようとした． ***84***

トルベツコーイ，セルゲイ(1790-1860)
公爵．デカブリストの「反乱」の総指揮者に擬せられていたが，当日は姿を現さなかった．1856年までシベリアで徒刑囚として服役．放免後に『回想記』(1863)を残している． ***117***

ニコライ(1世)(1796-1855)
ロシアの皇帝(1825-)．デカブリスト反乱の鎮圧と共に治世を始め，クリミア戦争の最中に没した．厳格な秘密警察の網を張り巡らせ，国内の反政府的言論を徹底的に弾圧．思想史的には暗黒の30年と見えたが，その内部では新しい息吹が育ちつつあった．本書のテーマはこの新しい息吹を語ることにある． ***20, 26, 27, 46, 92, 108, 110, 116, 118, 119, 126, 127, 137, 138, 140, 144-146, 151, 157-159, 163, 179, 183, 188, 233, 234, 249, 251, 265, 269, 271***

ニーコン(1605-1681)
モスクワ総主教(1652-66)．礼拝の手順や所作など，教会の改革を試み，教会に大きな分裂を起こした． ***20, 28, 110***

偽ドミートリー(1世)(?-1606)
ロシアのツァーリ(1605-)．幼くして亡くなった(殺害された?)イワン雷帝の末子を騙り，ポーランドの支援を受けてモスクワを攻略．一時クレムリンを支配したが，モスクワ市民の暴動によって殺害された．ゲルツェンはこのツァーリの為そうとしたことは評価している． ***57-59***

偽ドミートリー(2世)(?-1610)
モスクワ郊外トゥシノに陣を構えたことから「トゥシノの悪党」と呼ばれた．偽ドミートリー1世の後継者を騙り，モスクワを窺ったが，失敗して逃亡，殺害された． ***59, 64***

パスケーヴィチ，イワン(1782-1856)
軍司令官．ポーランド反乱(1831)やハンガリー革命(1848)を鎮圧．　***48***

パーニン，ニキータ(1718-1783)
伯爵．国政改革案の執筆者．皇帝の権力を制限し，貴族の役割を大きなものにしようとした．　***118***

バブーフ，グラキュース(通称)(1760-1797)
フランスの革命運動家．私有財産制を否定し，平等な社会を夢想した．　***124***

パレオロギナ，ソフィア(?-1503)
東ローマ帝国最後の皇帝コンスタンチノス11世の姪で，1472年にモスクワ大公イワン3世に嫁ぎ，「ソフィア」と名乗った(ギリシア名はゾエ)．　***54***

ピョートル(1世，大帝)(1672-1725)
ロシアのツァーリ(1689-1721)．ロシアで最初の皇帝(1721-)．ロシアの近代史を開いた．ゲルツェンは彼を「王冠を戴いた革命家」と呼んでいる．　***14, 25, 32, 41, 65-67, 69-82, 88, 93, 100, 109, 110, 113, 114, 118, 119, 122, 127, 134, 176, 185-187, 190, 202, 208, 216, 244, 247, 266, 269, 273, 274***

ピョートル(2世)(1715-1730)
ロシアの皇帝(1727-)．ピョートル1世の孫．傀儡的皇帝であった．　***84***

ピョートル(3世)(1728-1762)
ロシアの皇帝(1761-)．ピョートル1世の孫．即位1年にして妻のエカテリーナ(2世)に殺害され皇位を奪われた．　***88, 110***

ビロン，エルンスト(1690-1772)
伯爵．女帝アンナの寵臣として宮中に権勢を振るったが，女帝の亡き後(1740)逮捕されてシベリアに流刑された．　***81-83***

フェオファン・プロコポーヴィチ(1681-1736)
　ピョートル1世の改革を積極的に支持した数少ない教会人の1人.
　府主教.　*71*

フォイエルバッハ, ルートヴィヒ(1804-1872)
　ドイツのヘーゲル左派の哲学者.　その著『キリスト教の本質』
　(1841)は現代思想への道を切り開いた.　*195, 225*

フォンヴィージン, デニス(1744/45-1792)
　劇作家, 風刺詩人.　喜劇『旅団長』(1769)でフランスかぶれの貴
　族たちを嘲笑した.　*102, 103, 107*

フォンヴィージン, ミハイル(1788-1854)
　デカブリスト.　28年までネルチンスクで徒刑.　32年以降はエニ
　セイスク, トボリスクに流刑.　*117*

プガチョフ, エメリアン(1740/42-1775)
　ドン・コサックの頭目.　エカテリーナ2世によって殺害されたピ
　ョートル3世の名を騙って起こした農民戦争(1773-75)の首謀者.
　65, 79, 90, 99, 100, 130, 177, 231

プーシキン, アレクサンドル・セルゲーヴィチ(1799-1837)
　「詩聖」とも称される近代ロシア文学最大の詩人にして作家.　彼
　の活躍した時代はロシア文学史上「金の時代」と呼ばれる.　本書
　では『エウゲニー・オネーギン』(1823-31)について多く論じられ
　ている.　*122, 128-131, 135-140, 153, 158, 163, 170-172, 183, 271*

フーリエ, シャルル(1772-1837)
　フランスの初期社会主義者.　ロシアではペトラシェフスキー団に
　影響力を持った.　*124, 204, 225, 226*

フリードリッヒ・ウィルヘルム(3世)(1770-1840)
　プロイセン国王(1797-).　*18*

ブルガーリン, ファディ(1789-1859)
　政府系のジャーナリスト.　グレーチと共に《北方の蜜蜂》や《祖国
　の息子》の編集者.　*154, 161*

プルードン, ピエール・ジョセフ(1809-1865)

　フランスの社会主義者. ゲルツェンとも親交が厚かった. 『経済的矛盾の体系, または貧困の哲学』(1843)をゲルツェンは現代人必読の書としている. *204, 225*

プロコポーヴィチ, フェオファン→フェオファン

ヘーゲル, ゲオルク・ヴィルヘルム・フリードリヒ(1770-1831)

　ドイツの哲学者. ロシアの 1840 年代以降のロシア思想にも大きな影響を持った. ゲルツェンは彼の『精神現象学』(1807)を現代人必読の書としている. *193-195, 209, 211, 224, 225*

ペステリ, パーヴェル(1793-1826)

　デカブリストの最左翼. 農奴制の廃止と共和制を主張. 反乱の失敗後処刑された. *117, 123-125, 170*

ベストゥージェフ＝マルリンスキー, アレクサンドル(1797-1837)

　作家, デカブリスト. ルィレーエフと共に《北極星》誌(1823-25)を刊行. ゲルツェンとオガリョーフは彼らの衣鉢を継いで自分たちの雑誌に同じ名前を付けた. *117, 141, 272*

ベストゥージェフ＝リューミン, アレクセイ(1693-1766)

　女帝エリザヴェータ時代の秘密官房の長官. *82*

ベッカリーア, チェーザレ(1738-1794)

　イタリアの法学者. *120*

ペトラシェフスキー, ミハイル(1821-1866)

　フーリエ主義を奉ずる同名のグループの指導者. 49 年終身の徒刑に処せられた. *227*

ベリンスキー, ヴィサリオーン(1811-1848)

　文芸評論家. 彼の社会派的文芸批評は 1840 年代のロシア文学界を支配したのみならず, 60 年代以降のロシアのリアリズム文学の理論的基礎となった. ゲルツェンの盟友. *140, 161, 162, 192-200, 271*

としてロシア政府に捕らわれ，一時シベリアに流刑されていたこともあるが，1829 年ロシアを出国することが認められて以後，西欧各国でポーランドの独立のために生涯を懸けて闘った．作品に長編叙事詩『パン・タデウシュ』(1834)がある．　***17, 137, 204***

ミニフ，ブルハルト・クリストフォル(1683-1767)
元帥．ドイツ出身．エリザヴェータ女帝時代に寵を失い，シベリアに流された．　***82, 85***

ミーニン，クジマー(?-1616)
ニージニー・ノヴゴロドの商人．動乱時代にポジャールスキー公とともに反ポーランドの軍を起こした救国の英雄．彼とポジャールスキー公の像は今もモスクワの赤の広場の一角にある．　***60***

ミハイル・フョードロヴィチ(1596-1645)
ロマノフ王朝初代のツァーリ(1613-)．　***60***

ミュラー，ゲルハルト・フリードリッヒ(1705-1783)
ドイツの歴史家，古文献学者．ペテルブルク科学アカデミー会員．ロシア史の研究の業績を残した．　***31, 101***

ムラヴィヨーフ，ニキータ(1796-1843)
デカブリスト．27 年からネルチンスクの鉱山で徒刑囚として服役．　***117***

メッテルニヒ，クレメンス(1773-1859)
オーストリアの宰相．ナポレオン没落後のヨーロッパの国際政治を主導したが，1848 年，ウィーン三月革命で失脚．　***115***

メフメト(2 世)(1430-1481)
オスマン帝国のスルタン．彼の時代にコンスタンチノープルはオスマン帝国によって征服された．　***48***

メーンシコフ，アレクサンドル(1673-1729)
ピョートル大帝の寵臣．自らの愛人を主君に譲り，その没後は彼女を皇位に登らせ，エカテリーナ 1 世とした．　***14, 71***

事項索引

あ 行

か 行

さ　行

た　行

な　行

は　行

ま　行

関連略年表

862	リューリックを首長とするノルマン人の一支族ヴァリャーグ，ノヴゴロド到来
882	オレーグ，キエフを攻略．公と称する(リューリック王朝「キエフ公国」の始まり)
980	ウラジーミル1世(聖公)，キエフ大公となる(-1015)
988	ウラジーミル1世，正教に改宗し，これを公国の正式の宗教として受け入れる
1110頃	ネストル『過ぎし年月の物語』(原初年代記)編纂始まる
1113	ウラジーミル・モノマーフ，キエフ大公となる(中興の祖)
1240	モンゴル軍によりキエフ公国滅亡(「タタールの軛」の始まり)
1328	イワン1世(カリター)，ウラジーミル大公となる(-40)
1462	イワン3世，モスクワ大公となり(-1505)，「タタールの軛」を脱する(1480)
1472	イワン3世，ビザンツ帝国最後の皇帝の姪と再婚．モスクワ公国はビザンツ帝国の後継国家と称する
1497	「法令集」により農民の移動が制限される(農奴制への第一歩)
1533	イワン4世，モスクワ大公となる(-47)
1547	イワン4世，「ツァーリ」として戴冠(-84)
1570	イワン4世，ノヴゴロドを攻略．自治都市ノヴゴロドの滅亡
1598	フョードル1世没し，リューリック王朝断絶．ボリス・ゴドゥノーフ即位(-1605)
1604	動乱時代(-13)
1605	偽ドミートリー(1世)即位(-06)
1606	ワシーリー4世(シューイスキー)即位(-10)
1613	ミハイル・ロマノフ即位(-45)．ロマノフ王朝始まる(-1917)
1652	総主教ニーコンの「教会改革」により教会が分裂，「分離派教徒」(別称「旧教徒」「古儀式派」)が生まれる

1682	ピョートル1世,「第2ツァーリ」として即位(-1721)(「第1ツァーリ」はイワン5世[-96])
1700	北方戦争(-21)
1703	ペテルブルクの建設始まる
1721	ピョートル1世,「皇帝」と称する(-25)
1725	エカテリーナ1世即位(-27)
1727	ピョートル2世即位(-30)
1730	アンナ・イワーノヴナ即位(-40)
1741	エリザヴェータ・ペトローヴナ即位(-61)
1761	ピョートル3世即位(-62)
1762	エカテリーナ2世即位(-96)
1765	ロモノーソフ(11-)没
1773	プガチョフの反乱(-75)
1783	クリミア・ハン併合
1789	フランス大革命
1792	デニス・フォンヴィージン(44/45-)没
1795	第3次ポーランド分割, ポーランド消滅
1796	パーヴェル1世即位(-1801)
1801	アレクサンドル1世即位(-25)
1812	ゲルツェン誕生(3月[西暦4月]). ナポレオン軍の侵入, 撃退
1815	神聖同盟成立
1816	デルジャーヴィン(1743-)没
1818	ノヴィコーフ(44-)没
1820	《祖国雑記》発刊(-30, 39-84)
1823	プーシキン『エウゲニー・オネーギン』(-31)
1825	ニコライ1世即位(-55). デカブリストの反乱(12月14日[露暦, 西暦26日])
1826	カラムジーン(1766-)没
1827	ヴェネヴィーチノフ(05-)没

1830	フランス七月革命，ルイ・フィリップの「七月王政」発足(-48)．ポーランド蜂起
1835	ゲルツェン，シベリアに流刑(-40)
1836	《現代人》発刊(-66)．チャアダーエフ『哲学書簡』(第1書簡)
1837	プーシキン(1799-)没
1839	レールモントフ『現代の英雄』(-40)
1840	スタンケーヴィチ(13-)没
1841	ゲルツェン，ノヴゴロドに追放(-43)．レールモントフ(14-)没
	この頃からモスクワのサロンで「西欧派」と「スラヴ派」の論戦(-47)
1842	ゴーゴリ『死せる魂』第1部．コリツォーフ(09-)没
1846	ポレヴォーイ(1796-)没
1847	ゲルツェン，ロシアを出国(1月)．『フランスとイタリアからの手紙』を書き始める(-54)．ツルゲーネフ『猟人日記』(-52)
1848	フランス二月革命．ベリンスキー(11-)没
1850	ゲルツェン，亡命を決意．『向こう岸から』(47-)を刊行．**『ロシアの革命思想』を書き始める**(-51)
1852	愛妻ナタリア没(5月)．ゲルツェン，ロンドンに移住(8月)．ゴーゴリ(09-)没
1853	クリミア戦争(-56)．ゲルツェン，「自由ロシア印刷所」を開き，《北極星》(55-62，68)や《コロコル(鐘)》(57-67)などの定期刊行物を刊行
1855	ニコライ1世(1796-)没．アレクサンドル2世即位(-81)
1856	チャアダーエフ(1794-)没
1858	センコーフスキー(00-)没
1860	ホミャコーフ(04-)没
1861	農奴解放令．「大改革」始まる
1863	ポーランド一月蜂起(-64)
1870	ゲルツェン，パリで没(1月)(享年57)